# Martin
# Luther King

**Fotografías**

Todas las fotografías, incluida la de la portada, excepto las listadas más abajo, son © Flip Schulke o procedentes de los archivos Schulke, Florida.

BBC Hulton Picture Library: 4 (ambas); Black Star, New York: Charles Moore 30 (inferior), 45 (ambas); Rex Features: 8, 9; Val Wilmer: 6. Mapa realizado por Geoff Pleasance.

Colección coordinada por **Paz Barroso** y **María Córdoba**

Traducción del inglés: *María Córdoba*
Título original: *Martin Luther King*

© Exley Publications, 1990
© Ediciones SM, 1990
   Joaquín Turina, 39 - 28044 Madrid

Comercializa: CESMA, S.A. - Aguacate, 25 - 28044 Madrid

ISBN: 84-348-3294-1

Fotocomposición: Grafilia, S.L.
Impreso en Hungría - *Printed and bound in Hungary*

# Martin Luther King

*El gran líder de la no violencia en EE UU que
murió en defensa de los derechos de los negros*

## Valerie Schloredt y Pam Brown

ediciones  Joaquín Turina 39   28044 Madrid

**Arriba.** El horror y la realidad de la esclavitud. Arrancados de sus pueblos y de sus familias, y encadenados unos a otros, los esclavos africanos fueron embarcados hacia una nueva vida de duro trabajo y explotación. La esclavitud en EE UU fue abolida por el presidente Abraham Lincoln, en 1863. Pero persistió en muchas partes del mundo. Esta fotografía fue tomada en el oeste de África, en la década de 1890.

**Derecha.** Quince millones de personas fueron obligadas a cruzar el Atlántico, tumbadas en pisos superpuestos entre los puentes y encadenadas durante todo el viaje. Muchas de ellas murieron en la travesía. El abuelo de Luther King fue un esclavo.

4

# La esclavitud

Para miles de inmigrantes europeos de la década de 1800, Norteamérica significaba la libertad, la esperanza y el comienzo de una nueva vida. Para muchos negros supuso el ser vendidos por subastadores blancos como si fueran ganado.

«Aquí tenemos a una hermosa y saludable joven. De abundantes carnes y con buenos dientes. ¡Abre la boca, negra! Buenos músculos para trabajar duramente en el campo, y lo suficientemente lista para ser amaestrada para la casa. Un buen ejemplar. ¿Cuánto ofrecen por ella?».

Los africanos fueron arrancados de sus casas y de sus familias y llevados a tierras lejanas. Se vieron obligados a viajar en horribles condiciones, hacinados, encadenados y aterrorizados en la estrechez y la oscuridad de las bodegas de los barcos que los llevaron a América para ser vendidos como esclavos. Se encontraron de por vida sometidos a la voluntad de otros. Sus hijos eran vendidos a extraños si su amo así lo deseaba. Los hombres eran separados de sus mujeres, y las mujeres, de sus maridos. En el mejor de los casos eran tratados con el mismo afecto que se le da a un perro, y en el peor, eran explotados sin compasión, golpeados, humillados, mutilados o asesinados.

# La emancipación

Con el tiempo, muchas personas en Estados Unidos se dieron cuenta de que la esclavitud era injusta; todos los seres humanos tenían derecho a ser libres, a no estar sometidos a otros. Pero no pudieron convencer al mundo entero de que tenía que ser declarada ilegal. Finalmente, en la década de 1860, se libró una guerra para acabar con la esclavitud. Fue la llamada guerra civil*, o guerra entre Estados. En 1863, antes de finalizar la guerra, se abolió la esclavitud y los negros fueron emancipados.

Después de la guerra, EE UU llegó a ser un país rico y poderoso, un lugar que ofrecía grandes oportunidades. Pero

*Las palabras señaladas con asterisco vienen explicadas en el vocabulario que hay al final del libro.*

*«Nosotros tenemos en común con todos los hombres el derecho natural a nuestras libertades, de las que no podemos vernos privados por culpa de nuestros semejantes, porque nosotros hemos nacido libres y jamás hemos perdido esta bendición por ningún pacto o acuerdo. Pero, por la cruel mano del poder, hemos sido injustamente separados de nuestros amigos más queridos, y algunos de nosotros arrancados desde muy pequeños de nuestros padres y de nuestro populoso, querido y fértil país, para ser vendidos como esclavos de por vida en una tierra cristiana. Nos hemos visto privados de todo aquello que pueda hacer la vida un poco tolerable».*

De *Una petición de libertad de los esclavos,* 1774

5

Después de la guerra civil, los negros eran, supuestamente, libres. Pero no tenían tierras; todas estaban en manos de los blancos. En realidad, los negros vivían en una tremenda pobreza. Cuando se produjo en EE UU la enorme depresión de la década de 1930, fueron ellos quienes más sufrieron las consecuencias.

en las afueras de las grandes ciudades estaban las barriadas pobres, donde vivían los negros. Aunque ya no eran esclavos, a menudo se los consideraba ciudadanos de segunda clase y eran despreciados, ignorados y obligados a realizar los trabajos que nadie quería hacer.

Esto ocurría especialmente en los estados del Sur, donde las grandes plantaciones de algodón habían acabado con generaciones enteras de gente negra. Muchos estaban en 1963 peor de lo que habían estado en 1863, año en que se abolió la esclavitud. Blancos ignorantes se vanagloriaban de ser una raza superior y de que todos los negros, por inteligentes y honrados que fueran, eran seres humanos inferiores. Llamaban a todos, ya fueran jóvenes o señores mayores, «chico» *(boy)*. Hasta los blancos que en principio no estaban de acuerdo con la esclavitud terminaron cayendo en prejuicios generacionales; empezaron a considerar a los negros como personas diferentes, tratándolos como chicos retrasados, holgazanes y mentirosos, con quienes tenían que ser condescendientes si se portaban bien y «sabían estar en su lugar».

## 'Jim Crow'

Algunos negros llegaron al Norte, donde recibieron educación y, algunos, encontraron buenos trabajos. Pero, a pesar de ello, a los ojos de muchos, eran sólo «negros». Cuando Paul Robeson, uno de los mejores cantantes del mundo, fue a dar conciertos en el Sur, le fue negada la entrada en algunos hoteles. Los blancos compraban entradas caras para oírle cantar, pero muchos se horrorizaban ante la idea de comer en el mismo restaurante que él.

Después de la guerra civil, los estados del Sur aprobaron leyes que separaban a los blancos de los negros y que ayudaban a que aumentara la pobreza y la desigualdad. Estas leyes fueron llamadas de *Jim Crow\**, por el nombre de una conocida canción.

Ninguna persona negra podía comer en el mismo restaurante o café que los blancos, o sentarse en un sitio reservado para ellos. En algunas partes era un crimen que negros y blancos jugaran juntos a las cartas. Los feligreses blancos aprobaban que los negros fueran a la iglesia con tal de que no fueran a la misma que ellos, como si Dios tampoco los considerara seres de igual valía.

*«Entre las mujeres blancas que trabajaban, una de cada diez era empleada como sirvienta; entre las mujeres negras, seis de cada diez tenían ese empleo [...]. La mortalidad negra era aproximadamente el doble que la de los blancos. En Washington DC, la proporción en las estadísticas sobre la mortalidad infantil era de 37 blancos frente a 71 negros».*

Richard Pollenberg,
en *Una nación divisible*

## El KKK

Después de la guerra civil se fundó el Ku Klux Klan\* (KKK). Suena a nombre infantil, pero era, y es, una organización terrible.

Como los nazis, los miembros del Ku Klux Klan se creían de raza superior. Realizaban sus ceremonias frente a una cruz en llamas, vestidos con túnicas blancas y con capuchas. El KKK podía linchar a un hombre negro por la mera suposición de que hubiera puesto las manos encima a una mujer blanca, mientras que entre los blancos era casi un juego acosar a las mujeres negras, y jamás eran castigados. Todavía hoy, el KKK es una organización abiertamente violenta, confiada en que algunos de sus amigos, que desempeñan altos cargos en el poder, la protege.

Durante años, hombres y mujeres de gran coraje reivindicaron la justicia y la igualdad para los negros. Lucharon con gran entusiasmo y obtuvieron pequeñas victorias aquí y allá, pero todavía quedaba mucho por hacer. Los negros necesitaban un movimiento organizado y a un líder que los llevara a obtener la libertad que el presidente Abraham Lincoln había prometido durante la guerra civil.

*«Jim Crow significa más que una separación física. Lugares de espera separados en las estaciones de autobús, vagones separados en los trenes, asientos separados en los cines, distintas iglesias, escuelas, restaurantes e, incluso, fuentes de agua. Éstas fueron las manifestaciones más visibles del sistema, pero se dieron más. Las convenciones sociales que implicaban mutuo respeto, tales como dar la mano o descubrirse con el sombrero, eran tabúes».*

Richard Pollenberg,
en *Una nación divisible*

*Miembros del infame Ku Klux Klan actuaban abiertamente en muchos estados del Sur. Muchos de ellos conseguían ingresar en el cuerpo de policía, con lo cual evitaban que se realizaran investigaciones serias acerca de los crímenes organizados por el KKK. Esta fotografía fue tomada en la década de 1980. Aunque el KKK ha perdido poder, está todavía activo en algunos estados del Sur.*

*Derecha. Ésta es una fotografía actual del KKK. Las ceremonias que celebran siguen teniendo extraños rituales, como la quema de las cruces, con el fin de sembrar el terror en sus comunidades. El miedo que provoca el KKK no es tanto por sus extrañas costumbres como por su complacencia al usar las armas más sofisticadas para asesinar. Durante los primeros 30 años de este siglo, cientos de hombres y mujeres negros fueron linchados por grupos de blancos, colgados en público y, frecuentemente, quemados vivos. El número de linchamientos descendió durante los años 1950 y 1960, aunque aún se daban.*

Algunos líderes negros, exasperados porque no se cumplían las promesas, abogaron por la violencia y la venganza como armas contra la injusticia. Pero un gran líder, Martin Luther King, sabía que esto haría que todo el mundo pensara que los negros no eran mejores que los responsables de su miseria. Esto les haría actuar como si los negros no merecieran el respeto y la igualdad que pedían. En las décadas de 1950 y 1960, Luther King llevó a su gente a manifestaciones masivas no violentas que cambiaron la actitud frente al racismo* de millones de personas en EE UU y en todo el mundo.

## Una infancia en la iglesia

Martin Luther King nació el 15 de enero de 1929 en Atlanta (Georgia), una ciudad en pleno sur de EE UU. Recibió el mismo nombre que su padre. Su familia estaba compuesta por sus padres, su abuela, un hermano y una hermana, que le llamaban, por abreviar, ML (un mote con el que fue conocido toda su infancia).

El padre de ML, papá King, era pastor, por lo que ocupaba una importante posición dentro de la comunidad negra. La iglesia jugaba un papel fundamental en la vida de los negros de los estados del Sur. Era el corazón de la comunidad negra, la fuente de inspiración y consuelo para las personas cuyas vidas eran difíciles y duras los otros seis días de la semana.

Los predicadores negros tenían un fino sentido de lo dramático. La congregación se estremecía con las des-

cripciones de los horrores que aguardaban a las personas en el infierno, y se regocijaban con las glorias prometidas a los buenos. Respondían con gran entusiasmo a las palabras del predicador con gritos de «¡aleluya!», «¡amén!» y «¡alabemos al Señor!», llevados por la fe y el entusiasmo. Todos, desde los pequeños hasta los mayores, disfrutaban con los hermosos cantos espirituales negros *(gospel)* que habían sido compuestos por sus antecesores en los tiempos de la esclavitud.

El joven ML era un chico inteligente. A los cinco años memorizaba pasajes enteros de la Biblia. A los seis cantaba *gospel* para la congregación.

Un día, después de escuchar el impresionante sermón que dio un pastor invitado, ML dijo a sus padres: «Algún día conseguiré decir palabras tan grandes como ésas».

## Creciendo con el racismo

Como todos los niños negros, su infancia y su juventud estuvieron marcadas por los prejuicios raciales. Todos los días, pequeñas cosas le demostraban que ser negro suponía ser un ciudadano de segunda clase. Por ejemplo, cuando era tan sólo un chiquillo, le dijeron, un buen día, que no podía jugar con dos amigos blancos que tenía. La madre de sus amigos lo mandó a casa, diciéndole que sus hijos eran demasiado mayores para andar jugando con un niño negro. Los padres de Martin le explicaron que nunca debía pensar que él era inferior, porque no lo era. Lo ocurrido era sólo fruto de la ignorancia y de los prejuicios, que hacían comportarse a la gente de esa manera. Pero Martin estaba profundamente herido. Y los chicos, que habían sido felices de ser sus amigos, acabaron pensando que todos los negros eran diferentes e inferiores.

Cuando Martin creció, aprendió que la segregación —las dos razas viviendo vidas completamente separadas— era un hecho en la vida del Sur. Como persona negra, él sólo podía utilizar fuentes y cuartos de baño públicos reservados para negros. Los otros tenían carteles que decían: «Sólo blancos». Si, por ejemplo, quería un helado, tenía que pedirlo desde fuera de la tienda, por una ventana lateral. Cuando quería ver una película, no podía

*Martin Luther King nació en Atlanta (Georgia), en esta confortable casa de la avenida de Auburn. Su abuela había trabajado como asistenta para un acaudalado banquero blanco, y papá King, el padre de Martin, decidió que su familia tendría una vida mejor. Paseando un día por delante de la casa del banquero, papá King se prometió a sí mismo que también él tendría una gran casa, más grande, incluso, que aquélla. También sería director de un banco. Y tuvo éxito.*

sentarse en el patio de butacas —reservado para blancos—, sino que tenía que subir arriba, al *gallinero*. Blancos y negros no podían ir juntos a la escuela, ni utilizar las mismas bibliotecas, ni pasear por los mismos parques. Los negros no podían vivir en las mismas zonas que los blancos. Maya Angelou, una famosa escritora negra, dice que cuando era pequeña vivía en el Sur, y no pensaba que los blancos fueran seres humanos como los negros, porque le parecían seres extraños y lejanos.

## Un momento amargo

El incidente más humillante que vivió Martin ocurrió cuando tenía 15 años, durante su último año en la escuela secundaria. Formaba parte de un grupo que realizaba debates y discusiones en público, y acudieron a un concurso en otra ciudad. Martin ganó un premio por su exposición *El negro y la Constitución*. Se sentía orgulloso y feliz por el acontecimiento. Esa noche volvió muy contento a casa en autobús con su profesor.

De parada en parada iban llegando más pasajeros, hasta que todos los asientos quedaron ocupados. Fue entonces cuando subieron dos pasajeros blancos y el conductor mandó a Martin y a su profesor levantarse para dejarles el sitio. Martin no quiso hacerlo, pero el conductor insistió, llamándole «negro bastardo». Esto enfureció a Martin. Acababa de ser premiado por su discurso sobre los derechos de los negros y estaba viendo en este momento cómo eran olvidados esos mismos derechos constitucionales de los que había hablado.

Sintió ganas de rebelarse y enfrentarse al conductor, pero su profesor estaba asustado y le pidió que se levantara para evitar problemas. Martin poco podía hacer y se levantó, furioso por tener que dejarles el asiento. Éste fue uno de los momentos más amargos de su vida.

## Lecciones de papá King

Además de pastor, el reverendo King era un astuto hombre de negocios, por lo que su familia vivía bastante bien. Pero el que fuera una buena persona y un pastor dedicado a su comunidad no significaba nada para los blancos; según ellos, no era más que «otro negro».

La mayoría de los miembros del Ku klux Klan parecían respetables ciudadanos. Algunos, incluso, eran fervientes feligreses, muy respetados por su comunidad. Esta fotografía, tomada en 1950, muestra cómo los niños eran educados con los mismos prejuicios contra los negros.

11

*Martin Luther King creía firmemente que los negros estadounidenses debían adoptar los métodos de no violencia proclamados por Mahatma Gandhi, el padre de la independencia de la India.*
*La protesta no violenta no significaba pasividad. Significaba una no cooperación total y organizada con la maldad, una disposición a sufrir por lo que es justo, a ir a la cárcel y, si es necesario, a morir por la causa.*

No obstante, el padre de Martin sabía cómo responder a los insultos. Un día, un policía le paró en la carretera.

—Chico, enséñame tu permiso de conducir —le dijo.

El reverendo King señaló a su hijo y contestó:

—¿Ve a este niño? Pues éste es un chico. Yo soy un hombre.

Corrió gran riesgo al decir aquello, pero su hijo sintió gran admiración ante su coraje y dignidad.

Martin siempre recordaría lo que su padre decía sobre el racismo: «No importa el tiempo que tenga que vivir con el sistema. Nunca lo aceptaré. Lucharé hasta la muerte».

## Días de colegio

Martin empezó la universidad a los 15 años, tres años antes que la mayoría de los chicos. Fue al Morehouse College, en Atlanta, una de las mejores universidades para negros del país, donde se daban animadas discusiones y debates sobre temas raciales. Él sabía que era muy afortunado comparado con otros muchos jóvenes negros y aprovechó todas las oportunidades que se le presentaron.

Su padre había puesto sus esperanzas en que Martin siguiera sus pasos en la iglesia, pero él quería llegar a ser un buen médico o abogado, profesiones con las que pensaba que sería más útil a su gente. El director del colegio, el doctor Benjamin Mays, era un pastor que pensaba que la Iglesia jugaría un importante papel en la sociedad de EE UU. Las enseñanzas y la inspiración de sus sermones impresionaron a Martin y le hicieron cambiar de opinión. Un pastor como el doctor Mays podía ayudar a la gente de mil maneras, tratando problemas actuales.

Martin, pues, le dijo a su padre que, después de todo, sería pastor. Su padre dispuso que predicara un sermón de prueba para su comunidad, en la iglesia baptista de Ebenezer, en Atlanta. Una gran multitud acudió ese domingo a la iglesia para oír al predicador de 17 años. Él estaba muy nervioso, porque no quería defraudar a su padre delante de su gente, pero lo hizo bien. Después de algunos años, fue ordenado y nombrado pastor asistente de su padre. Pero su educación debía continuar. Martin quiso seguir sus estudios en una universidad del Norte.

## Filosofía de la no violencia

En 1948, Martin se matriculó en el Crozer Seminary, en Pensilvania. Trabajaba mucho y dedicaba su tiempo libre a leer obras de teólogos y filósofos famosos. Uno de los filósofos que más admiraba era Henry Thoreau, un abolicionista* que creía que la esclavitud debía terminar. Thoreau cumplió una condena en la cárcel porque se negó a pagar impuestos a un Gobierno que abogaba por la continuidad de la esclavitud. En 1849 escribió un famoso ensayo, *Sobre el deber de la desobediencia civil*, explicando por qué había tomado esa postura enfrentándose a lo que él creía vergonzoso, inaceptable y una enorme injusticia social.

Pero el hombre que más impresionó a Martin Luther King fue Mahatma Gandhi*. Su filosofía de la no violencia*, o *fuerza del alma*, enfrentaba la fuerza espiritual de los hindúes con la fuerza política y militar del imperialismo británico. El pueblo indio manifestaba una y otra vez que no quería ser gobernado por un poder extranjero,

*La iglesia baptista de Ebenezer, en Atlanta (Georgia), era la iglesia del padre de Martin. Martin creció con la fuerte influencia de esta próspera y bien atendida iglesia. No le gustaba el estilo emocional de los predicadores, ni los aplausos y respuestas a gritos por parte de la congregación. Fue aquí, en la iglesia baptista de Ebenezer, donde Martin pronunció su primer sermón. Su estilo era más calmado, más serio que el de otros pastores de la iglesia, pero fue inmediatamente reconocido como un gran predicador.*

13

*En 1948, a los 19 años, King se licenció en sociología y fue a estudiar al Crozer Seminary, en Pensilvania, para graduarse. Se sentía algo incómodo al ser uno de los sólo seis negros que había entre al menos cien estudiantes, viviendo en una comunidad bastante cerrada y solemne. «Creo que estuve demasiado serio durante algún tiempo. Tenía tendencia a vestir con elegancia, a tener mi habitación perfectamente limpia, mis zapatos relucientes y mis ropas inmaculadamente planchadas». Obtuvo muy buenas notas, con muchos sobresalientes en todos los cursos.*

fuera bueno o malo. Ellos querían tomar sus propias decisiones, fueran correctas o no.

Gandhi decía que, si bien debían estar dispuestos a morir por la independencia, no debían matar por ella. Sin embargo, fueron tratados cruelmente.

Ahora Martin empezaba a creer que lo que había sucedido en la India también podía suceder en EE UU. Pero hasta el momento era sólo una idea que rondaba por su cabeza. No sabía que llegaría el día en que tendría que llevar a cabo un gran movimiento en defensa de los derechos civiles* —una campaña pidiendo justicia para los negros en EE UU— con la no violencia como gran principio a seguir.

## Martin conoce a Coretta

Martin se graduó entre los primeros de su clase de Crozer y fue a continuar sus estudios a la Universidad de Boston. Empezó a estudiar para obtener el doctorado y se matriculó en un curso de filosofía de las religiones, estudiando el hinduismo, el sintoísmo y el islamismo, además del cristianismo.

A pesar de ser serio para sus estudios, encontraba tiempo libre para divertirse. Era un hombre joven y encantador que gustaba mucho a las mujeres. Pero salir con tantas chicas diferentes empezaba a cansarle. Deseaba encontrar a alguien especial, una mujer con la que compartir su vida y sus esperanzas.

Un día, un amigo le presentó a una joven cantante, llamada Coretta Scott. Venía del Sur, como Martin; había crecido en un familia negra de granjeros en Alabama. Consiguió una beca que le permitió estudiar música en el New England Conservatory, y trabajaba parte del día para pagar su alojamiento. Lo último que deseaba Corette era renunciar a su carrera. Esperaba casarse y tener hijos algún día, pero después de afianzarse en el campo de la música.

## La mujer apropiada

No obstante, todos sus sensatos planes se vinieron abajo. Al principio, Martin le parecía demasiado bajo —medía 1,73 metros—, pero, después de tratarle durante cierto tiempo, le empezó a gustar más.

Martin, por su parte, estaba desconcertado por su belleza e inteligencia, por su fuerte personalidad y su firmeza de carácter. ¡Y así se lo dijo!

Les gustaba lo que veían y lo que sentían el uno por el otro. Así, el 18 de junio de 1953, el padre de Martin los casó en Marion, donde vivía Coretta.

Ese mismo año, Martin y Coretta acabaron su último año de estudios en Boston y él empezó a buscar trabajo. Le gustaba mucho la vida académica y por ello quiso enseñar teología en un colegio o en una universidad, pero pensó que primero debía trabajar algunos años como pastor de la Iglesia.

## Vuelta al Sur

La mejor oferta que recibió Martin fue la de la iglesia baptista de la avenida de Dexter, en Montgomery (Alabama); la congregación estaba buscando un nuevo pastor. La iglesia era un sólido edificio de ladrillo que había sido construido justo después de la guerra civil. El número de miembros de la congregación era pequeño, unos 400, pero de alto nivel cultural. Algunos eran profesores en la universidad para negros de Montgomery.

*El primer trabajo de Martin como pastor fue en la iglesia baptista de la avenida de Dexter, en Montgomery (Alabama), construida justo después de la guerra civil. Tenía sólo 25 años e, incomprensiblemente, quiso volver al Sur para enfrentarse a las amarguras de la segregación.*

Mientras se decidía, Martin pensaba en lo que supondría volver al Sur, a la segregación, a la discriminación* y a la amenaza de violencia que se cernía sobre los negros allí. Coretta había crecido en Alabama y conocía las pésimas condiciones en que vivían los negros. Por otro lado, el Sur era la casa de ambos y tenían familia allí. Martin pensó que, después de la suerte que habían tenido al recibir una buena educación, su obligación era volver para intentar mejorar las cosas, si podían. Lo hablaron entre ellos y decidieron volver al Sur, al menos por algunos años.

En septiembre de 1954, Martin y Coretta se establecieron en la casa del predicador que servía a la comunidad negra de Montgomery. Les esperaba una vida muy atareada.

Martin se levantaba temprano, a las 5.30, para trabajar en su tesis doctoral durante tres horas antes del desayuno. Luego se dirigía al centro de la ciudad para acudir a su iglesia, en la avenida de Dexter, donde cumplía con sus obligaciones como pastor, que incluían aconsejar en los problemas familiares a los miembros de la congregación, celebrar matrimonios y funerales, y servir de testigo en cuestiones de negocios y leyes.

Cuando era sólo un chico quedaba a veces desconcertado ante el estilo emocional de predicar de su padre, pero ahora se daba cuenta de que podía combinar en sus sermones sus amplios conocimientos con la emoción. Empezó a utilizar frases dramáticas, pero bien medidas; hablaba a veces en tono bajo y tranquilo, y otras, con voz tan atronadora que hacía vibrar la iglesia. La gente acudía allí para sentirse dignificada e inspirada, y esto era lo que Martin trataba de hacer todos los domingos. Era un buen predicador y ya daba muestras de ser un gran orador. Pronto llegó a ser inmensamente popular en su congregación.

## Tiempos felices

En la primavera de 1955, Martin finalizó su tesis y viajó al Norte, a Boston, donde obtuvo el doctorado en teología. A partir de entonces empezó a ser conocido como doctor o reverendo King.

La mayoría de los acontecimientos importantes que se narran en este libro tuvieron lugar en los estados del Sur. Muchos de esos estados permitían la esclavitud antes de la guerra civil y lucharon en el bando confederado*. Los negros formaban el 11% de la población de Estados Unidos. La mayoría de ellos vivían en los estados del Sur, pero ahora el 47% de la población negra, casi la mitad, vive en los estados del Norte.

**EL ESTE DE ESTADOS UNIDOS DE AMÉRICA**

Había otro motivo de celebración esa primavera: Coretta estaba esperando su primer hijo. Fue una niña, a la que llamaron Yolanda, la primera de los cuatro hijos que tendrían. Eran tiempos felices para la joven familia. Poco a poco, fueron haciendo nuevos amigos en Montgomery.

La vida en la ciudad, afortunadamente, era tranquila para el doctor King y su familia, pero él era consciente de cómo estaba la situación yacente bajo una superficie aparentemente de calma en la comunidad.

## Necesidad de cambio

La situación de los negros en Montgomery era típica de muchas otras áreas del Sur. El sistema segregacionista significaba que los niños negros y blancos tenían que estudiar en escuelas diferentes, y las escuelas para negros eran mucho peores que las de los blancos.

17

El Tribunal Supremo de Estados Unidos decidió en 1954 acabar con esta injusticia. La ley decía que todos los americanos debían tener las mismas oportunidades. Los jueces del tribunal dijeron que la segregación en las escuelas debía terminar, que los niños negros y blancos debían ser educados juntos en igualdad de condiciones. Y que, además, este cambio debía realizarse con gran rapidez.

Pero era más fácil decirlo que hacerlo. Los blancos del Sur estaban horrorizados ante la idea, y no hicieron absolutamente nada para que este cambio pudiera llevarse a cabo en Montgomery.

Las escuelas no eran el único problema. En teoría, los negros tenían el mismo derecho al voto que los blancos, pero fueron introducidas toda clase de normas para ponerles trabas. A los negros pobres, que no habían recibido ningún tipo de educación, les hacían pagar un impuesto *per cápita* y pasar unas pruebas de analfabetismo. Si esto no era suficiente para impedir que votaran, los blancos acudían a las amenazas y a la violencia. La mayoría de los negros en el Sur sólo podían conseguir trabajos manuales. Si se descubría que los negros habían intentado votar, o levantarse en pro de sus derechos, eran despedidos de sus trabajos. En Montgomery había unos 40.000 negros con derecho a voto, pero tan sólo unos 2.000 estaban registrados.

Años de amenazas, crueldad e insultos habían hecho que la mayoría de la población negra tuviera miedo de alzarse, incluso aunque se tratara de una pequeña protesta. La única manera de permanecer con vida y de poder vivir un poco en paz con sus familias era mantenerse tranquilos y aceptar lo que viniera, con la esperanza de encontrar algo mejor en el cielo. El joven Martin Luther King vio a su gente acobardada, sumisa y con miedo, y sabía que no podrían mejorar las cosas si aceptaban una vida semejante.

## La parte trasera del autobús

¿Recuerdas cómo tuvo que levantarse Martin de su asiento en el autobús, cuando era un chico, para dejar su sitio a un blanco, y cómo se sintió profundamente herido?

Las cosas no habían mejorado. De alguna manera, los métodos por los que se regían las compañías de autobuses en Montgomery resumían todos los males de la segregación.

En la ciudad, los conductores de autobuses no podían ser negros, y la segregación en los autobuses era estricta; más, incluso, que en otros estados del Sur. A los negros les permitían sentarse solamente en la parte trasera de los autobuses, aunque también podían ocupar los asientos de la parte central si estaban vacíos, siempre y cuando no los fueran a utilizar los blancos. Las primeras cuatro filas estaban absolutamente prohibidas para los negros y llevaban un cartel de «Sólo blancos». Si el autobús empezaba a llenarse, los negros de la parte central tenían que levantarse para que los pasajeros blancos pudieran sentarse. Los jóvenes blancos podían exigir a señoras mayores cargadas con la compra, a chicas embarazadas y a minusválidos que les dejaran sus asientos.

Para hacerles sentirse aún inferiores, los negros tenían que subir por la puerta delantera para pagar sus billetes y luego bajarse y volver a subir al autobús por la puerta trasera. Esto lo hacían para que a los pasajeros blancos no les ofendiera que los negros atravesaran su sección.

No es de extrañar que estas normas fueran una fuente de resentimiento entre la población negra. Poco más de un año después de llegar a Montgomery, el reverendo King dirigiría la batalla que pondría fin a tal humillación.

*Rosa Parks, sentada en el autobús, después del boicot en Montgomery (Alabama). Casi todos los que utilizaban diariamente los autobuses eran negros. Los conductores los insultaban —sobre todo a las mujeres— llamándolos «negros», «simios» o «vacas nagras». Un día, la señora Parks, cansada de los insultos y las humillaciones, se negó a ceder su sitio a un blanco. Fue arrestada y ello provocó el comienzo del boicot del autobús.*

## El incidente de Rosa Parks

La tarde del 1 de diciembre de 1955, una mujer negra, llamada Rosa Parks, dejó los grandes almacenes en los que trabajaba de costurera en el centro de la ciudad y se dirigió a la parada del autobús que la conduciría a casa. El primer autobús que llegó estaba lleno y algunos pasajeros negros iban de pie en la parte trasera, por lo que decidió dejarlo pasar. Aguardó a que llegara el siguiente y, a pesar de que todos los asientos de la parte trasera estaban ocupados, encontró un sitio vacío en la parte central y se sentó.

La norma era que si un blanco quería sentarse en esa parte, todos los negros sentados allí tenían la obligación de levantarse. Al llegar a la tercera parada, entró en el autobús un grupo de pasajeros blancos y ocuparon todos los sitios que quedaban reservados para blancos, en la parte delantera. Un hombre blanco permanecía de pie. El conductor del autobús se volvió hacia donde estaban la señora Parks y otros tres pasajeros negros sentados y dijo:

—Necesito esos sitios.

Ninguno se movió hasta que el conductor se dirigió a ellos por segunda vez y añadió amenazadoramente:

—Será mejor para vosotros que os levantéis y dejéis esos asientos libres.

Los otros tres se levantaron, pero la señora Parks permaneció sentada. El conductor se volvió a ella de nuevo.

—¿No vas a levantarte? Haré que te arresten si no lo haces.

La señora Parks estaba cansada. Había tenido una jornada larga y difícil y no le parecía normal que un hombre blanco necesitara más de un asiento. Algo se rebeló en ella en ese momento. Quizá la paciencia con la que había soportado años de sumisión e insultos. Sentada firmemente en su asiento, dijo:

—Entonces, hágalo. ¡Arrésteme!

Mientras las otras personas observaban asombradas lo que ocurría, unos con desaprobación y otros con admiración, la señora Parks esperaba a que el conductor buscara a un policía. El policía llegó y preguntó a la señora Parks por qué no se había levantado.

—No sé por qué había de hacerlo —respondió—. ¿Por qué nos tiene que tratar con ese desprecio?

—¡Cállate! —respondió el policía—. La ley es la ley, y quedas arrestada.

## La señora Parks, bajo arresto

Rosa Parks no era del tipo de personas que se atrevieran a desafiar la ley. Era una mujer tranquila, pero, como miles de pasajeros negros que cogían día tras día el autobús para ir a su trabajo, estaba cansada de ser tratada con desprecio.

Más tarde, cuando le preguntaron que si ella había planeado su protesta, contestó: «No. Sencillamente estaba agotada y me dolían los pies». La paciencia de la señora Parks se había agotado en el momento más oportuno.

Todo el mundo sabía que era una buena mujer, tranquila, trabajadora, un miembro de buena reputación den-

*Durante el tiempo que pasó en Montgomery, Martin Luther King se dio cuenta del papel tan importante que podía tener la iglesia, dando a los negros un alto sentido de la dignidad. En la iglesia se sentían libres de los blancos, libres de las leyes injustas, libres para ganar la lucha espiritual en su propio terreno. «Una religión que profese estar preocupada por las almas de los hombres y no se preocupe por los barrios pobres que las malean y por las condiciones sociales que las dañan, es una mala religión», declaró Martin Luther King. Su reputación como predicador pronto se extendió más allá de Montgomery.*

tro de la comunidad negra. Por ello decidieron apoyar su causa. Éste sería el momento oportuno para que se unieran los negros de Montgomery y todos los blancos que creían que el sistema segregacionista era un tremendo error. Martin Luther King decidió mostrar su total apoyo.

Los líderes planearon hacer el boicot al servicio de autobuses. Esto supondría que ninguna persona negra viajaría en autobús. Quizá no les llevaría el boicot a acabar con la segregación inmediata en EE UU, pero supondría un duro golpe económico para la compañía de autobuses.

El desafío de la señora Parks hizo que éste fuera el momento perfecto para entrar acción.

## El plan boicot

Tenían que trabajar rápidamente, mientras la indignación estaba presente entre los negros. Los pastores y líderes negros se reunieron el viernes después de que Rosa Parks fuera arrestada y decidieron que el lunes era el momento de empezar el boicot. Los pastores comunicaron la noticia en sus congregaciones el domingo, y un comité preparó un panfleto para hacerlo circular por toda la zona negra. Clara y firmemente, se daba la noticia del arresto de la señora Parks, y decía:

«No cojáis los autobuses para ir al trabajo, a la ciudad, a la escuela o a cualquier sitio desde el lunes. Si trabajas, vete con alguien en coche, en taxi o caminando. Ven a la reunión del lunes, a las siete de la tarde, en la iglesia baptista de Holt Street, para recibir las próximas instrucciones».

Otro comité fue a contactar con todas las compañías de taxis de conductores negros en Montgomery, preguntándoles si ayudarían al boicot cogiendo pasajeros por el precio normal del autobús, es decir, por 10 centavos. Los taxistas dijeron que sí, y se pusieron a su disposición con un total de 210 coches. El escenario estaba preparado para el boicot del lunes.

## El primer día

Martin Luther King se levantó temprano la mañana del 5 de diciembre de 1955, el primer día del boicot. Estaba tomándose un café en la cocina cuando el primer autobús, que normalmente iba lleno de pasajeros negros camino de su trabajo, pasó por delante de la casa. Coretta le llamó

desde la ventana de enfrente. El autobús estaba vacío. Los negros de Montgomery no habían subido a los autobuses. El boicot estaba en marcha.

King conducía su automóvil por las calles de Montgomery esa mañana para observar cómo progresaba el boicot. Las cosas iban aún mejor de lo que esperaba. Los negros, para atravesar la ciudad camino del trabajo, andaban kilómetros antes que coger el autobús. Muchos hacían autoestop, o compartían su medio de transporte. Algunos, incluso, iban por la ciudad en mulas o en carros tirados por caballos.

Normalmente, unos 17.500 pasajeros negros utilizaban los autobuses de Montgomery; formaban el 75% de la clientela de la compañía de autobuses. Ese día, grupos de personas se reunían en las paradas para observar los autobuses aparcados y vacíos. Se oían risas y burlas, pero, a pesar de que la policía observaba de cerca, no había señales de violencia o intimidación. El boicot del autobús fue un acto pacífico de protesta que, además, dio a la

*Miles de negros en Montgomery rehusaron ir en autobús. Se unieron las personas que tenían coches para ayudar a la gente a ir al trabajo. Algunos preferían ir andando, como protesta contra la injusticia. A una señora mayor, que caminaba por la calle con gran dificultad, le ofrecieron llevarla en coche. Pero ella lo rechazó diciendo: «No voy andando por mí. Ando por mis hijos y mis nietos».*

*Derecha. Martin Luther King, en casa, con su mujer y sus hijos. Pasaba mucho tiempo fuera de casa y le preocupaba que su trabajo en pro de los derechos civiles le robara el tiempo que un padre debería dedicar a sus hijos. Pero cuando volvía a casa, intentaba estar casi todo el tiempo con ellos. En la pared, arriba, se ve una fotografía de Mahatma Gandhi, el mayor héroe de King.*

comunidad negra un nuevo sentimiento de fuerza y unidad, y la esperanza de que llegarían tiempos mejores.

Esa tarde, los líderes se reunieron para decidir el próximo paso a seguir. Formaron una nueva organización, la Asociación para el Mejoramiento de Montgomery. Después de observar cómo había funcionado el boicot, y para sorpresa del doctor King, lo eligieron presidente de la asociación. Sólo tenía 26 años, pero reconocieron que era el hombre más indicado para el puesto. Su primera tarea fue pronunciar un discurso en público esa tarde.

## El discurso de King

Cuando King llegó a la iglesia, le aguardaba una enorme multitud alrededor del edificio. La gente había llegado a las cinco de la tarde y todos los asientos estaban ocupados. Los altavoces habían sido colocados fuera de la iglesia para que pudieran escuchar sus palabras los que quedaban afuera. Los coches de la policía circulaban lentamente alrededor de la iglesia, vigilando a aquella multitud, tal vez esperando que hubiera problemas.

La reunión empezó con un conmovedor coro que cantó *Adelante, soldados cristianos.* Luego, Rosa Parks se adelantó para contar la historia de cómo de había negado a ceder su asiento y el arresto que luego sufrió. La multitud aplaudía y la aclamaba. Luego, le llegó el turno al doctor King. Frente a él había unas 4.000 personas, expectantes, presenciando el mitin, incluidos fotógrafos, reporteros y equipos de televisión.

Empezó su discurso describiendo cómo habían sido tratados los negros en los autobuses de Montgomery. Habían sufrido las brutalidades de la segregación durante mucho tiempo, y añadió: «Llega un momento en el que la gente se cansa. Nosotros estamos aquí esta tarde para decir a aquellos que nos han maltratado durante tanto tiempo que estamos cansados; cansados de vernos segregados y humillados; cansados de recibir patadas de la brutal opresión».

El público escuchaba atentamente cuando él señalaba con énfasis la necesidad de unirse todos, diciendo: «Si estamos unidos, podemos conseguir muchas de las cosas que no sólo deseamos, sino que justamente merecemos». Subrayaba la justicia de su causa diciendo: «Si nosotros estamos equivocados, el Tribunal Supremo de esta nación está equivo-

*King era un apasionado y persuasivo orador, considerado por muchos como el más grande de Estados Unidos. Sus sermones y discursos eran su arma más poderosa como líder, y ello llevó a miles de personas a tomar parte en la reivindicación de los derechos civiles de los negros. Él creía que las leyes podían y debían mejorar, para bien de todos, con bravas protestas y asumiendo las consecuencias. «Llega un momento en que un hombre honrado no puede obedecer una ley que su conciencia le dice que es injusta. Y lo importante es que, cuando lo hace, acepta de buena gana las consecuencias».*

cado. Si nosotros estamos equivocados, la Constitución de Estados Unidos está equivocada. Si nosotros estamos equivocados, Dios Todopoderoso está equivocado. Si nosotros estamos equivocados, Jesús de Nazaret fue simplemente un soñador utópico que nunca vino a la Tierra. Si nosotros estamos equivocados, la justicia es una mentira».

La multitud estaba completamente pendiente de King, bebiendo sus palabras. Él advertía a la gente de los peligros con que tendrían que enfrentarse. No debían emplear la violencia en esta defensa. Dijo: «Nos guiarán los más grandes principios de la ley y el orden». El ideal cristiano del amor debería también guiar sus acciones: «A pesar de los malos tratos que hemos soportado, no debemos estar resentidos y acabar odiando a nuestros hermanos blancos».

King acabó su discurso y se sentó. La multitud irrumpió en de cantos y aclamaciones. Habían encontrado una causa, una unidad, una esperanza y un líder. Él los había unido, y ellos habían comprendido que tenían poder para

obtener justicia y dignidad. Por primera vez, la gente intuyó que Martin Luther King llegaría a ser un gran líder.

## Tres peticiones

Ralph Abernathy, buen amigo de King y asociado en la campaña de los derechos civiles, subió a continuación para leer la lista de tres peticiones que la Asociación para el Mejoramiento de Montgomery quería presentar a las autoridades de la ciudad y a la compañía de autobuses. El boicot continuaría hasta que fuesen atendidas:

1. Los conductores de autobuses deben tratar a los pasajeros negros con cortesía.

2. Los pasajeros deben sentarse según lleguen, es decir, el primero que llega, primero se sienta, con los negros empezando desde atrás y los blancos empezando desde delante.

3. La compañía debe emplear inmediatamente a conductores negros en las rutas que atraviesan zonas negras.

King pidió a la multitud la aprobación de esas condicio-

*«Su mayor contribución personal fue saber interpretar las inquietudes de la gente. Podía comunicar mejor que cualquier hombre que yo haya oído nunca a la gente sus problemas, hacerles ver claramente cuál era la situación y animarlos a trabajar por ello».*

Rufus Lewis, un empresario de Montgomery

*En este movimiento por los derechos civiles había muchos blancos trabajando codo con codo con los negros en su lucha por la justicia. Cuando King movilizó a la comunidad negra, pidió constantemente a sus seguidores que se abstuvieran de emplear la violencia. Cuando el boicot acabó, dijo a la multitud: «Desaprobaría terriblemente que alguno de nosotros fanfarroneara en los autobuses diciendo: "Nosotros, los negros, hemos conseguido una victoria sobre los blancos". No debemos tomar esto como una victoria sobre el hombre blanco, sino como una victoria para la justicia y la democracia».*

nes: «Todos los que estén a favor, que se pongan en pie».

Todos los allí presentes se levantaron. El movimiento de los derechos civiles en Estados Unidos había comenzado.

## El primer día de lluvia

El boicot del autobús transcurría por buen camino, y el reverendo King y otros líderes negros fijaron una reunión con las autoridades de la ciudad para discutir el conflicto. Pero sacaron en claro que ni las autoridades de la ciudad ni la compañía de autobuses tenían intención alguna de acabar con la segregación en los autobuses. El alcalde dijo con aire de suficiencia: «El primer día que llueva, los negros volverán a los autobuses».

¡Qué equivocado estaba! Los negros habían encontrado el camino hacia la libertad y no iban a abandonarlo por un chaparrón. Pero comprendieron que no iba a ser una rápida victoria; había una larga lucha por delante.

La policía puso pronto fin a los servicios de taxi de 10 centavos, pero la Asociación para el Mejoramiento de Montgomery había organizado un servicio de coches a disposición de la comunidad. Coches particulares lleva-

ban y recogían a la gente del trabajo, y las iglesias negras servían como paradas. El sistema funcionaba como un reloj, si bien mucha gente todavía iba andando a trabajar.

La protesta era visible. Todos aquellos negros caminando penosamente hacia el trabajo y volviendo de él, hiciera el tiempo que hiciera, llegaron a ser un claro símbolo de su recién descubierta dignidad. Nadie pudo ignorar esta protesta contra la injusticia.

Una mujer mayor de delicada salud, la señora Pollard, caminaba con más determinación que el resto. Un día, al acabar su servicio religioso, el doctor King le preguntó que si no se cansaba de ir andando a todas partes. «Mis pies están cansados», respondió ella, «pero mi alma, descansada».

El nuevo espíritu despertado por el boicot hizo que cada esfuerzo particular fuera realmente útil. Tal y como esperaban, la atención del mundo se centró en ellos por su tranquila, tenaz y pacífica protesta.

La atención de la prensa, radio y televisión no sólo estaba en los autobuses de Montgomery, sino en la opresión racial conjunta existente en Estados Unidos. Y veían a Martin Luther King como el más poderoso líder de la causa negra.

## La política de endurecimiento

La publicidad hizo que los militantes blancos segregacionistas se pusieran aún más furiosos. El mundo se reía de ellos. Les hacían parecer tontos por culpa de un grupo de «negros engreídos».

Los tres hombres con más poder en Montgomery —el alcalde, el jefe de policía y el comisario de la ciudad— anunciaron que ellos simpatizaban con el profundamente racista Consejo de Ciudadanos Blancos. El alcalde dijo que, a partir de ese momento, en la ciudad se adoptaría lo que él llamaba «política de endurecimiento»

Ahora los matones blancos empezarían a mostrar su verdadero modo de ser. Los conductores de los coches particulares que llevaban a los negros a su trabajo eran parados por la policía, normalmente sin ninguna razón. La gente que esperaba a ser recogida era arrestada por hacer autoestop.

Martin Luther King fue arrestado por conducir a 50 km por hora en una zona de velocidad restringida a 40 km por

*«Si no dejamos de ayudar a esos antropófagos africanos, un día nos despertaremos y encontraremos al reverendo King en la Casa Blanca».*

De un folleto repartido por blancos racistas

*Un miembro del Ku Klux Klan. El KKK y el Consejo de Ciudadanos Blancos continuaban amenazando e intimidando a los luchadores contra el racismo. King recibió una nota anónima que decía: «Si permites que los negros vuelvan a los autobuses y se sienten en los asientos delanteros vamos a quemar 50 casas en una noche, incluida la tuya».*

29

**Arriba.** *Los grupos racistas blancos eran particularmente activos en Birmingham (Alabama), considerada la ciudad más racista de América.*
**Abajo.** *El KKK recibe a los visitantes con este cartel en un pueblo de Alabama.*

REALM NATIONAL ALABAMA
U. S. KLAN K. K. K. INC.
KKKK

CAPITOL CITY
KLAVERNS
#104-23-125
WELCOME YOU

hora. Pasó un montón de horas en la cárcel antes de ser puesto en libertad bajo fianza. Éste fue sólo el primero de muchos arrestos. Tuvo que pasar muchas horas en prisión durante sus años como líder de los derechos civiles.

La policía sólo podía usar la ley para intimidarlos, pero algunos extremistas blancos no se veían con las manos atadas por ninguna ley.

King y su familia recibían diariamente 30 o 40 cartas de amenaza. Ellos las quemaban, pero era terrible enfrentarse a ese odio ciego e irracional. Estas primeras amenazas de muerte que recibieron Coretta y Martin eran sólo el principio de un largo período de tiempo en el que convivirían con el miedo.

También recibían llamadas telefónicas. Todo el día llamaban reporteros, personas de la Asociación para el Mejoramiento de Montgomery, gente solicitando información..., pero los King nunca sabían si la llamada procedería de un amigo o de alguien que los insultaría por teléfono y los amenazaría de muerte.

## Respondiendo al odio con amor

Un día, las amenazas se convirtieron en algo real. King estaba dando un mitin ante una gran multitud cuando le avisaron de que había explotado una bomba en su casa.

Quedó petrificado por el miedo. Luego, corrió hacia su casa. Coretta y su hijo estaban a salvo. Habían lanzado una bomba al porche de su casa y con la explosión se habían roto las ventanas y el porche quedó partido en dos, pero nadie había resultado herido.

Una multitud se había agolpado fuera de la casa. A los negros les pareció que un ataque a su líder era un ataque a cada uno de ellos. Cuando la policía intentó dispersarlos, se pusieron furiosos. Al doctor King le preocupó ver que muchos de ellos tenían armas: pistolas, cuchillos y botellas rotas.

El jefe de la policía y el alcalde llegaron para disculparse, pero la gente no se apaciguó. Sabían que esa bomba había sido el inevitable resultado de la política de endurecimiento del alcalde. La situación se estaba poniendo fea, pero, en ese momento, el doctor King salió de la casa.

«Mi mujer y mi hijo están bien. Quiero que todos vosotros os vayáis a casa y guardéis las armas. No podemos

**Arriba.** *Las manifestaciones de los negros eran recibidas con cólera y odio. Cuando King hacía arrodillarse a su gente para rezar, cientos de mirones curiosos chillaban: «¡Odio! ¡Odio! ¡Odio!».*

**Izquierda.** *Blancos alineados en las acercas interrumpían a los que marchaban. Algunas pancartas decían: «Segregación para siempre», «Judíos comunistas, detrás de la segregación» e «Idos a África».*

Coretta King con su hija pequeña, Bunny. Cuando Martin cortejaba a Coretta, le dijo un día: «Las cuatro cualidades que busco en una mujer son carácter, inteligencia, personalidad y belleza. Y tú las tienes todas».

Coretta con Bunny, Marty y Yoki.

*Coretta con Martin, en una de las muchas marchas que él dirigió. Coretta se mantuvo cerca de Martin durante esos peligrosos años. A pesar de las amenazas de muerte, ella mantuvo su hogar tranquilo y feliz. Estaba muy atareada respaldando la misión pastoral de la parroquia de Martin, en la avenida de Dexter. Otras veces le acompañaba. Quería permanecer a su lado en los momentos difíciles.*

*La opinión de Coretta sobre su marido era simple: «Era bueno, un hombre muy bueno». A pesar de su fama, ella decía: «Era un hombre humilde, y nunca se sintió digno de su posición. Por eso se preocupaba mucho, trabajaba duro y estudiaba constantemente, incluso después de llegar a ser una figura mundial».*

resolver este problema con represalias violentas. Debemos responder al odio con amor. Recordad que, si a mí me detienen, este movimiento no se detendrá, porque Dios está con este movimiento».

El peor momento había pasado. King había controlado la situación y la gente empezaba a marcharse. Un policía blanco que había estado allí esa noche dijo más tarde que debía su vida «a ese predicador negro», y que también se la debían los otros blancos que habían estado allí.

## Continúa la protesta

El boicot seguía adelante. Parecía no tener un fin próximo. A pesar de aquel duro invierno, los negros iban andando a sus trabajos. Pero la ciudad estaba dispuesta a derrotarlos y se refugió en una vieja ley antiboicot del estado. Bajo esta ley, 89 personas, incluyendo a King, fueron detenidas. King fue el primero en ser juzgado y condenado por un jurado blanco, pero sus abogados presentaron una apelación y el juicio de los otros fue aplazado hasta que el caso de King fuera llevado a un tribunal superior.

Mientras tanto, la Asociación para el Mejoramiento de Montgomery continuaba su lucha para demostrar que la

*«Nunca ha habido un momento en el que no nos uniera el amor y la dedicación. Jamás he deseado ser otra cosa que la esposa de Martin Luther King».*

Coretta Scott-King, en
*Mi vida con Martin Luther King*

segregación del autobús iba en contra de la Constitución de Estados Unidos. Se trataba de un lento proceso legal, pero que constituía su única esperanza. Los meses pasaban y los negros continuaban yendo a trabajar andando, día tras día, bajo el sofocante calor del verano en el Sur.

La ciudad intentó de nuevo, y esta vez con éxito, acabar con el sistema de recogida de coches particulares que utilizaban los negros, considerándola una «molestia pública». ¿Cómo podría durar el boicot otro invierno sin la ayuda de los coches? Incluso Martin Luther King empezaba a sentirse desalentado.

## La decisión del Tribunal Supremo

Martin estaba en el juzgado, abatido, escuchando cómo los representantes de la ciudad condenaban el servicio de transporte organizado por los negros. De pronto, un periodista apareció junto a él y le dijo: «¡Ha llegado lo que esperabas!». Era un telegrama:

«El Tribunal Supremo de Estados Unidos confirma hoy la decisión del juzgado del distrito declarando que, en el estado de Alabama, las leyes civiles que requieren la segregación en los autobuses son anticonstitucionales».

La tranquila pero resuelta lucha de la Asociación para el Mejoramiento de Montgomery había salido victoriosa. Ya no había nada que los blancos racistas de Montgomery pudieran hacer. No importaba que el juzgado hubiera dictaminado en contra del servicio de coches particulares. Los negros ya no lo necesitarían más.

Pero no iba a ser un cambio de la noche a la mañana. Los negros tenían que esperar a que el juzgado oficial ordenara su aplicación en la ciudad. King conocía a sus oponentes, y sabía que pondrían todas las trabas posibles.

El Ku Klux Klan paseaba tranquilamente por las calles, pero los negros lo observaban en lugar de salir huyendo. Habían aprendido a tener coraje. Lo necesitaban. Cuando llegó el momento de usar los autobuses, tuvieron que hacer frente a crueles ataques de militantes blancos. Las multitudes arrastraban a los pasajeros negros fuera de los autobuses. Una joven fue duramente golpeada, y una mujer embarazada fue apaleada y herida en ambas piernas.

No sólo eran amenazados con disparos, sino también con bombas. La iglesia baptista que había sido el punto

de reunión para los boicoteadores fue quemada. Esa misma noche, explotaron bombas en otras tres iglesias negras de Montgomery, y también en las casas de dos pastores que habían apoyado las protestas. Más tarde, encontraron una carga de dinamita en el porche de la casa de los King. La raza blanca intentaba probar su «superioridad» con métodos de criminales y gánsteres.

Martin Luther King fue el primer pasajero en subir a un autobús. Le acompañaban Rosa Parks, la mujer que había comenzado la protesta, y los líderes blancos y negros que habían luchado tanto tiempo y tan duro para que llegara ese día. Cuando King subió al autobús, el conductor blanco dijo:

—Tengo entendido que es usted el reverendo King, ¿no?

—Sí, yo soy —dijo King.

—Nos alegra tenerle con nosotros esta mañana.

Todos sonrieron. El grupo de pasajeros blancos y negros se sentaron juntos, y el primer autobús no segregacionista de Montgomery se alejó de la parada.

*«Estamos en marcha», dijo King en un discurso, «y ninguna ola de racismo puede detenernos. El incendio de nuestras iglesias no nos hará cambiar. Estamos en marcha. Ni la marcha de poderosos ejércitos puede detenernos. Estamos yendo hacia la tierra de la libertad». Libertad era la consigna; las canciones eran de libertad, las señales eran de libertad.*

**Arriba.** *Martin Luther King con su hijo, Dexter Scott.*

**Derecha.** *Con su hijo mayor, Martin Luther King III, después de misa.*

*«Mi marido solía decir a los niños que si un hombre no tenía valor para morir, tampoco estaba preparado para vivir. También decía que lo importante no es cuánto tiempo vivas, sino cómo vivas».*

Coretta Scott-King, en
*Mi vida con Martin Luther King*

## Cada vez más

El triunfo en Montgomery era sólo el principio. Dio coraje a millares de negros en todo el Sur, y las protestas y boicots brotaron en todas partes.

Para tener éxito, necesitaban trabajar juntos. En enero de 1957 se fundó la Agrupación de los Líderes Cristianos del Sur\* (SCLC) para aconsejar y ayudar a los luchadores. Martin Luther King fue elegido su presidente.

Pero la fama traía problemas. A King lo requerían de todas partes por sus dotes de orador, y él sentía que era su obligación hacer todo lo que estuviera en su mano para propagar el mensaje de la defensa de los derechos civiles. A veces su programa era prácticamente imposible de rea-

**Arriba.** *Jugando al béisbol con Martin III.*

**Izquierda.** *Momentos de felicidad en el jardín, jugando con su hija pequeña, Bunny.*
*King tenía, a veces, cuatro o cinco mítines al día. Pero el tiempo que estaba en casa lo pasaba jugando y riendo con sus hijos.*

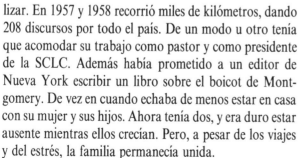

lizar. En 1957 y 1958 recorrió miles de kilómetros, dando 208 discursos por todo el país. De un modo u otro tenía que acomodar su trabajo como pastor y como presidente de la SCLC. Además había prometido a un editor de Nueva York escribir un libro sobre el boicot de Montgomery. De vez en cuando echaba de menos estar en casa con su mujer y sus hijos. Ahora tenía dos, y era duro estar ausente mientras ellos crecían. Pero, a pesar de los viajes y del estrés, la familia permanecía unida.

La actividad de Martin no disminuía, pese a su total agotamiento entre tanto compromiso. Con el triunfo de Montgomery todavía vivo en la mente de todos, tenía que asegurar el éxito de su mensaje. Llevaba una vida desconcertante: una semana podía estar encarcelado como consecuencia de su lucha por los derechos civiles y a la semana siguiente ser una distinguida celebridad en Nueva York, firmando ejemplares de su libro *El paso hacia la libertad*.

## A un estornudo de la muerte

Un día, Martin firmaba un autógrafo de su libro y una mujer negra de mediana edad se acercó a él y le preguntó:

—¿Es usted Martin Luther King?

—Sí, soy yo.

Entre ellos se dio un cortés intercambio de palabras, pero, de pronto, la mujer lanzó un grito y hundió un afiladísimo abrecartas en su pecho. Era una mujer vagabunda que había estado durante varios años ingresada en distintos hospitales mentales.

El doctor King fue conducido rápidamente al hospital y, después de una larguísima espera, le extrajeron el arma. Martin obedeció a las enfermeras y permaneció absolutamente quieto, a pesar del sufrimiento y la conmoción, ya que la punta del arma estaba a sólo unos milímetros de una arteria mayor. El cirujano dijo más tarde que un estornudo podría haberle matado.

El incidente fue publicado en los periódicos, y a King le agradó de manera muy especial una carta que le había escrito una chica de 15 años.

«Querido doctor King: Soy una estudiante de noveno grado en la White Plains High School. Aunque no venga al caso, me gustaría decirle que soy blanca. Me enteré por los periódicos de lo que le había ocurrido y de su sufrimiento, y leí que, si hubiera estornudado, podría haber muerto.

Le escribo simplemente para decirle que estoy muy contenta de que no haya estornudado».

Tales señales de afecto y de amistad hicieron posible que saliera adelante, además del amor y la comprensión de Coretta y su familia, que tanto significaban para él.

Más tarde, ese mismo año, King presentó su dimisión en la iglesia baptista de la avenida de Dexter. Él y Coretta se desplazaron con la familia a Atlanta, donde el doctor King se convirtió en ayudante de su padre en la iglesia baptista de Ebenezer.

*«Creo que la mayor victoria de este período fue... algo interno. La auténtica victoria fue lo que este período hizo en la mentalidad del hombre negro. Lo más grande de este período fue que nos armamos de dignidad y respeto hacia nosotros mismos. Lo más grande de este período fue que levantamos la cabeza, y un hombre no puede humillarte a menos que te doblegues».*

Martin Luther King

## El movimiento de los estudiantes

Los autobuses habían sido sólo uno de los problemas. En 1960, a un estudiante negro se negaron a darle de comer en una cafetería de la terminal de autobuses. Se unió con otros dos estudiantes para hacer una protesta. Estaban decididos a seguir el ejemplo de la no violencia que había dado tanto resultado en Montgomery.

Día tras día, llegaban y se sentaban en la cafetería. Cada vez se les unían más estudiantes. Eran insultados y nunca los atendían. Pero ellos permanecían sentados.

Cuando los periódicos empezaron a publicar la historia, se dieron otras sentadas por todo el Sur. Los estudiantes formaron un Comité de Coordinación Estudiantil No violento* (SNCC) para apoyarse unos a otros. Martin Luther King les infundió coraje, uniéndose en algunas de sus sentadas. Durante una sentada en Atlanta, fue arrestado junto con otros 75 manifestantes. Los estudiantes fueron liberados después de algunos días, pero la policía mantuvo a King en la cárcel.

Tres días después, el *caso King* llegó a juicio. Coretta, embarazada de su tercer hijo, acudió con papá King. Fue un terrible golpe para la familia oír la sentencia del juez: «Encuentro al acusado culpable y le condeno a cuatro meses de trabajos forzados en la penitenciaría del estado».

Fue una vengativa y ultrajante sentencia para tal *crimen* (una manifestación pacífica que no había hecho daño a nadie). Encadenado y esposado, King fue conducido a la penitenciaría estatal. Allí le metieron, solo, en una pequeña e inmunda celda, llena de cucarachas.

## La ayuda de JFK

A la mañana siguiente, Coretta recibió una llamada telefónica. Era el senador John F. Kennedy, el candidato demócrata en las elecciones presidenciales. La llamaba para expresarle su conmoción y ofrecerle su ayuda. Ella la aceptó con satisfacción y, pocos días después, se alegró muchísimo al oír que el juez había revocado la sentencia. Pronto, Martin estaba en casa otra vez, y una multitud esperaba fuera para darle la bienvenida.

La ayuda de Kennedy consiguió más que la liberación de Martin Luther King. Su oponente en la carrera por la

*«El método de la no violencia no consigue un cambio inmediato en el corazón del opresor. Primero hace algo en los corazones y almas de aquellos que la practican. Les infunde un nuevo respeto hacia ellos mismos; eso hace que salgan al exterior la fuerza y el coraje que ellos no sabían que tenían. Finalmente, todo eso llega hasta el oponente, y conmueve tanto su conciencia que la reconciliación llega a ser una realidad».*

Martin Luther King

*Los restos del primer autobús de los Jinetes de la Libertad. Cuando el autobús alcanzó Anniston, en Alabama, un enfurecido grupo de blancos, armados con barras de hierro, atacó el autobús, prendiéndolo fuego y golpeando a los pasajeros. Nueve hombres blancos fueron arrestados, pero no condenados.*

presidencia, Richard Nixon, se había mantenido en silencio en el asunto de los derechos civiles. En consecuencia, muchos negros votaron a Kennedy. Esto haría que los seguidores de King alzaran a la presidencia a JFK.

## Los Jinetes de la Libertad

Durante el verano de 1961, grupos de estudiantes blancos y negros del Norte prepararon un viaje al Sur en autobús, efectuando sentadas en las terminales y en los restaurantes a lo largo de todo el camino. Se llamaron a sí mismos los Jinetes de la Libertad*.

Los racistas del Sur se enfurecieron bastante más que cuando se enfrentaron con estudiantes locales. Pensaban que esos Jinetes de la Libertad no tenían derecho a interferir en los asuntos del Sur. Incluso algunos de los más viejos luchadores por el movimiento de los derechos civiles estaban preocupados por esta acción. Parecía que los estudiantes iban buscando problemas.

La primera marcha empezó bien, pero, cuando los estudiantes alcanzaron Alabama, se enfrentaron con un grupo de hombres del Klan, armados con tuberías de plomo y con bates de béisbol. Los estudiantes, desarmados, fueron duramente golpeados, y otro grupo escapó por muy poco de la muerte cuando el autobús fue incendiado. La violencia de este ataque contra los pacíficos manifestantes molestó profundamente a Martin Luther King. Pensó que los estudiantes necesitaban su ayuda.

Una tarde estaba hablando en una iglesia de Montgomery, pidiendo seguidores que ayudaran a los Jinetes de la Libertad, cuando le dijeron que una pandilla de extremistas blancos se había agrupado fuera. Nada más recibir el mensaje, vieron un gran fuego por las ventanas. Los extremistas habían incendiado los coches que estaban cerca del edificio. El miedo se apoderó de la congregación. Nadie sabía qué pasaría a continuación. De repente, una lluvia de piedras azotó las ventanas; a continuación les lanzaron bombas de gas. La gente empezó a toser; no podía ni respirar. Parecía como si la pacífica calle se viera envuelta en una auténtica guerra. Por un momento pareció que el doctor King y su congregación podían quedar atrapados en la iglesia y quemarse vivos.

Pero la ley podía aún prevalecer, incluso en Montgomery. Un grupo de soldados de la Guardia Nacional llegó justo a tiempo para poner fin a los disturbios y ayudar a la gente a ponerse a salvo. Una vez más, el doctor King escapó de la muerte. Pero ¿por cuánto tiempo?

## El fin de las 'Jim Crow'

La violencia con que se toparon los Jinetes de la Libertad ese verano alcanzó mayores niveles, pero periodistas y cámaras estaban allí, corriendo grandes riesgos, para conseguir sus reportajes. Al final, el mundo vio las cosas tan terribles que estaban sufriendo hombres y mujeres a causa de la lucha por la igualdad. El coraje de los Jinetes de la Libertad surtió efecto, al fin, sobre la opinión pública. Gracias a ellos, las despreciables leyes racistas de *Jim Crow* fueron derogadas definitivamente. El Gobierno de Estados Unidos decretó que la segregación en las estaciones de autobuses debía terminar. Martin Luther King reconoció la deuda que tenía con aquellos periodistas.

«Sin la presencia de la prensa no podría haber sido contada la matanza que se dio en el Sur. El mundo pocas veces cree las cosas horribles que se dan en la historia hasta que se las cuentan los medios de comunicación».

*Cuando los Jinetes de la Libertad alcanzaron Montgomery, James Zmerg, un estudiante de Wisconsin, fue despiadadamente golpeado. Él no hizo ningún intento de defenderse. Ninguna ambulancia de blancos debía asistir a los Jinetes de la Libertad, y Zwerg tuvo que esperar pacientemente a que llegara una ambulancia de negros.*

## Enfrentamiento en Birmingham

«¡Segregación hoy, segregación mañana, segregación para siempre!» fue el lema que ayudó a ser elegido gobernador a George Wallace, en Alabama, en noviembre de 1962. Las victorias obtenidas por los negros en otras partes del país habían hecho que los racistas blancos de Alabama estuvieran más decididos que nunca a mantener las cosas como habían estado con sus antepasados. Pero Martin Luther King y la Agrupación de los Líderes Cristianos del Sur (SCLC) estaban igualmente decididos, aunque sabían que al centrar sus esfuerzos en Birmingham (Alabama) estaban metiéndose de lleno en el núcleo más racista y peligroso del Sur.

Las sentadas de protesta y los boicots empezaron en abril de 1963. Su propósito era obligar a la ciudad a que se empleara a los negros en mejores trabajos y acabar con la segregación.

*Bull* Connor, el comisario de Seguridad Pública de Birmingham, era una celebridad local. Algunos blancos pensaban que sus modales campechanos y su falta de tacto le hacían un distinguido personaje local, pero sus chistes groseros iban a tono con su intolerancia. Tenía muchos admiradores, gente que estaba de acuerdo con su decisión de prevenir cualquier forma de integración. Declaró que «la sangre correría por las calles» de la ciudad antes de que se acabara con la segregación. Para él, todas las personas negras eran, y serían siempre, «negros».

## 'Carta desde la cárcel de Birmingham'

Durante su primera marcha realmente importante, el 12 de abril, el doctor King fue arrestado y conducido a la cárcel de Birmingham. Ya estaba acostumbrado a la cárcel y sabía que, incluso tras las rejas, el amor y el apoyo de su gente estaban con él. La situación era dura para Coretta, pero era el hombre con quien se había casado y estaba orgullosa de él.

Mientras estaba en la cárcel, un grupo de clérigos blancos escribió al periódico local, diciendo que el doctor King era un intruso que sólo estaba creando problemas. Instaron a los negros a que renunciaran a las manifestaciones.

El doctor King estaba profundamente herido. ¿Cómo podría replicar a esas acusaciones cuando le tenían prohibido hasta el papel para escribir?

*Derecha. King, preso en Birmingham, Alabama. Poniendo las ideas de Gandhi en práctica, King y sus compañeros marchaban, oleada tras oleada, sobre Birmingham City Hall, ignorando las amenazas de arresto. Cantando Nosotros venceremos, No dejaremos que nadie nos haga retroceder, y Me levanté esta mañana pensando en la libertad, eran arrestados uno tras otro. Con el tiempo, con más de 900 personas encarceladas, las autoridades de la ciudad se dieron cuenta de que sería imposible encerrar a nadie más.*

42

*A la derecha, arriba. A los bomberos se les ordenó enchufar sus mangueras y apuntar hacia los manifestantes, incluidos los niños. Los manifestantes fueron brutalmente derribados por la fuerza de los chorros, que los empujaban contra farolas y edificios, destrozando sus ropas. Como había docenas de periodistas y cámaras de televisión, las imágenes de este incidente fueron transmitidas a un conmovido público por todo el mundo.*

*Abajo. El comisario de seguridad pública de Birmingham, Bull Connor, manifestaba que «los problemas de EE UU eran el comunismo, el socialismo y el periodismo», que podían acabar con la raza blanca. «La sangre correrá por las calles» antes de que Birmingham acepte acabar con la segregación, prometió. No había contado con la valentía de miles de manifestantes.*

Reunió algunos trozos de papel que encontró —bolsas, papel higiénico, los márgenes de los periódicos— y escribió todo lo que él pensaba. Esto se conocería luego como *Carta desde la cárcel de Birmingham,* uno de los documentos más importantes del movimiento de los derechos civiles.

Había sido acusado de ser un intruso. Él escribió: «Yo estoy en Birmingham porque la injusticia está aquí, y la injusticia es algo universal, no tiene nada que ver con ser de un lugar o de otro».

Explicó que las manifestaciones eran vitales, que la acción no violenta a gran escala obligaba a la gente a admitir sus errores y a enfrentarse con ellos.

Si no se hacía nada, la gente nunca cambiaría. Él negaba que las manifestaciones fueran inoportunas. Las peticiones justas eran siempre inoportunas para el opresor. A todas las personas negras les decían constantemente que esperaran; él pensaba que «esperar» era simplemente otra palabra para decir «nunca».

Y citó a un famoso abogado: «La justicia demorada es justicia denegada».

## 'Bull' Connor ataca

Pronto, el doctor King fue puesto en libertad y pidió a los estudiantes que le dieran su apoyo para la causa. Para su asombro, no sólo le mostraron su apoyo estudiantes, sino también niños pequeños. Pensando en sus propios hijos, se planteó muy seriamente lo que debería hacer; después de todo, era el futuro de esos niños lo que estaba en juego. Tenían derecho, pues, a manifestarse.

Como resultado, tantos chicos fueron arrestados por participar en la manifestación del 2 de mayo de 1963, que tuvieron que utilizarse autobuses escolares para llevarlos a la cárcel. Jóvenes de 16 y 17 años se manifestaban en las calles junto a niños de seis años.

Al día siguiente, un grupo de jóvenes se reunió en la iglesia baptista de la Calle 16 para marchar otra vez. Un millar de niños se dirigió hacia el centro de Birmingham gritando: «¡Queremos libertad!». Pero se encontraron con todas las fuerzas de la policía que *Bull* Connor pudo reunir.

Cuando Connor les ordenó volverse, ellos le ignoraron. Les ordenó de nuevo que se detuvieran, pero ellos continuaron su marcha. De repente, Connor dio a sus hom-

bres orden de atacar. Los bomberos enchufaron sus poderosas mangueras contra los manifestantes. Los chorros de agua los golpearon con una fuerza enorme. Los niños fueron derribados unos tras otros, al tiempo que se les desgarraban sus ropas por la enorme presión del agua. Magullados y ensangrentados, se vieron obligados a retroceder. Algunos manifestantes, enfurecidos a causa de ese cruel ataque, saltaron de entre la confusión y empezaron a tirar todo lo que encontraban a la policía. Parecía que los hombres de Connor habían perdido el juicio. La policía soltó sus perros, que se abalanzaron sobre la multitud, gruñendo y mordiendo a los chicos mientras éstos intentaban escapar. *Bull* Connor se reía y gritaba: «¡Mirad cómo corren esos negros!».

Pero allí estaban las cámaras de televisión, recogiendo imágenes de cuanto ocurría. Los sonrientes policías y los aterrados manifestantes cayendo al suelo por la fuerza de los chorros de agua estaban siendo filmados.

Al día siguiente, la gente de todo el país contempló esas imágenes. Quedó realmente horrorizada.

# Una victoria para la no violencia

Martin Luther King había dicho: «Nosotros igualaremos vuestra capacidad de infligir sufrimiento con nuestra capacidad de soportar el sufrimiento».

Las escenas de Birmingham conmovieron al mundo entero. Y todavía los manifestantes se negaban a rendirse. Todos los días volvían a las calles, sabiendo perfectamente a lo que se enfrentaban. Se acercaban resueltamente a los policías, a los perros y a las mangueras cantando sus canciones de libertad.

El 5 de mayo de 1963 sucedió algo extraño y maravilloso. Un grupo de pastores protestantes encabezaba una marcha pública hacia la cárcel de Birmingham, cantando himnos. Cuando llegaron hasta las barreras de policías que les impedía el paso, se detuvieron tranquilamente y se pusieron de rodillas para rezar unos momentos. Luego se levantaron para continuar.

Connor estaba allí.

«¡Enciendan las mangueras!», gritó. «¡Maldita sea! ¡Enciendan esas mangueras!».

Pero la policía y los bomberos no se movieron. Miraban las tranquilas caras que tenían ante ellos de personas desarmadas que no habían hecho nada para merecer tal castigo.

La policía retrocedió y dejaron solos a los manifestantes.

Connor se quedó pasmado e impotente. Sus tropas le habían abandonado.

La confianza de Martin Luther King en la innata bondad que había en muchos hombres se había visto justificada. La no violencia había triunfado, a pesar de haber costado un gran sufrimiento. Unos 3.000 manifestantes habían sido arrestados durante las protestas.

## 'Bull' Connor y Abe Lincoln

La envergadura que habían tomado las manifestaciones y la determinación con que se habían llevado a cabo acabó venciendo a la ciudad, aunque algunos se negaran a admitir la derrota. Algunos empresarios blancos acordaron conceder a los negros iguales oportunidades que a los blancos, y se formó un comité interracial para tratar los problemas de la comunidad.

El gobierno de los prejuicios y la intolerancia se había derrumbado. La campaña de Birmingham le costó a *Bull*

Connor su puesto. No fue elegido en las siguientes elecciones. Esto, además, obligó al Gobierno federal a entrar en acción para proteger los derechos civiles.

El presidente Kennedy hizo una nueva propuesta de derechos civiles al Congreso de Estados Unidos, señalando después que «*Bull* Connor había hecho por los derechos civiles tanto como Abraham Lincoln».

El fanatismo de Connor había conseguido que la gente que nunca había pensado antes en los derechos de los negros hiciera ahora peticiones de justicia.

## 1963, la marcha sobre Washington

Después de la dura victoria de la campaña de Birminghan, se organizó una marcha sobre Washington. Tuvo lugar el 28 de agosto de 1963, y conmemoraba el primer centenario de la abolición de la esclavitud en Estados Unidos.

Martin Luther King esperaba que se concentraran en el centro de Washington unas 100.000 personas. Pero los medios de comunicación preveían que sólo acudirían unas 25.000 personas. Si iba tan poca gente, nadie creería en la importancia de la campaña en favor de los derechos civiles. Cuando él y Coretta llegaron al lugar en donde se habían concentrado los manifestantes, sus corazones se paralizaron por un momento. Vieron una enorme multitud ante ellos. Todo estaba lleno de gente: blancos y negros, unidos. No eran 25.000, sino 250.000 personas, reunidas pacíficamente.

Martin Luther King salió del coche y se unió a la multitud que se dirigía hacia el Lincoln Memorial, cantando *Nosotros venceremos* y alzando pancartas que decían: «Pedimos en 1963 la libertad prometida en 1863», «Un siglo para pagar una vieja deuda».

Muchos hombres importantes hablaron a la multitud ese día, situados ante las blancas columnas del Lincoln Memorial. Parecía como si la enorme figura sedente de Abraham Lincoln, el defensor de la libertad, estuviera escuchándolos.

Martin Luther King tenía 34 años. Era todavía un hombre joven, pero ante aquella enorme asamblea era la esperanza, la figura en la que todos creían.

Había preparado su discurso cuidadosamente. Muchas cosas dependían de que encontrara las palabras adecua-

*Algunos jóvenes manifestantes marcaban sus frentes con un signo de «igual» para mostrar su total compromiso.*

*Abajo. Más de 200.000 personas marcharon hacia la Casa Blanca, en Washington, en la mayor manifestación de la historia del movimiento de los derechos civiles. Los líderes, que habían calculado que los seguirían unos 100.000 manifestantes, se quedaron pasmados por la fuerza de ese apoyo. «Pedimos en 1963 la libertad prometida en 1863», decían un montón de pancartas.*

das para transformar la mente de las personas, palabras que cambiaran los corazones de la gente.

Comenzó a hablar de la promesa de igualdad como una vieja deuda que el Gobierno tenía todavía que saldar, una promesa de pago que había que cumplir.

La multitud estaba pendiente de sus palabras. Él podía sentir su unidad, su apoyo. Mientras hablaba, aplaudían y daban gritos de conformidad. Él sabía que estaba hablando con su voz, hablando por ellos y para ellos.

### «Hoy he tenido un sueño...»

Estimulado por los aplausos y los gritos de apoyo, Martin puso a un lado las notas de su discurso y habló con el corazón. Y de su corazón brotó el mayor discurso del movimiento de los derechos civiles, un discurso que entró a formar parte de la historia.

«Yo os digo hoy, amigos míos, que, a pesar de las dificultades y frustraciones del momento, aún tengo un sueño. Sueño con que un día esta nación se decidirá a aplicar verdaderamente sus principios, según los cuales para nosotros es una verdad evidente que todos los hombres han nacido iguales.

Sueño con que un día, sobre las colinas rojizas de Georgia, los hijos de los antiguos esclavos y los hijos de los que fueron sus amos sabrán sentarse juntos a la mesa de la fraternidad.

Sueño con que un día incluso el estado de Misisipí se transformará en un oasis de libertad y justicia.

Yo sueño con que mis cuatro hijos vivirán un día en una nación donde no serán juzgados por el color de su piel, sino por el contenido de su personalidad».

*Martin Luther King hablando en Washington, en el Lincoln Memorial (monumento erigido en honor de quien abolió la esclavitud 100 años antes), pronunciando el mejor discurso de su vida. King finalizaba con la letra de este viejo cántico espiritual negro: «¡Libres al fin! ¡Al fin libres! Gracias a Dios Todopoderoso, al fin somos libres».*

La gran multitud comprendió que no se trataba de un discurso normal. Era un mensaje que abarcaba a toda la gente, de toda creencia y educación.

«Éste será el día en que todos los hijos de Dios podrán cantar juntos: "Mi país es de Dios, deja que suene la campana de la libertad".

Y si América va a ser una gran nación, esto debe llegar a ser verdad. Por eso, dejad que la campana de la libertad suene desde las poderosas cumbres de New Hampshire. Dejad que la campana de la libertad suene desde lo alto de las montañas grandiosas de Nueva York. Pero no solo eso. Dejad que suene la campana de la libertad desde cada colina y cada collado de Misisipí. [...]

Cuando dejemos que la campana de la libertad suene en cada pueblo y en cada aldea, en cada estado y en cada ciudad, podremos adelantar el advenimiento del día en que todos los hijos de Dios, los blancos y los negros, los judíos y los gentiles, los protestantes y los católicos, podrán cogerse de la mano y cantar la letra de este viejo cántico espiritual negro: "¡Libres al fin! ¡Al fin libres! Gracias a Dios Todopoderoso, al fin somos libres"».

La multitud estalló en gritos y aplausos en respuesta a su discurso. Martin había dado voz al ansia de libertad de todos aquellos implicados en el movimiento de los derechos civiles, a la unidad de los americanos blancos y negros, a la unificación de la nación.

Aquel mismo día, muchos periódicos publicaron que King se había convertido en el presidente de la América negra extraoficial. Se había convertido en el líder reconocido del movimiento de los derechos civiles, un hombre de confianza, muy querido por sus seguidores y respetado en todas partes. Había sido un gran día en su vida y en la historia de EE UU.

## Una esperanza demasiado optimista

Cuando Luther King habló en Washington de su sueño de paz y unidad parecía que, quizá, la victoria de Birmingham podría extenderse, por los mismos cauces no violentos, y transformar el país entero.

Pero era una esperanza demasiado optimista. Sólo unas pocas semanas después ocurrió un atentado en la iglesia baptista de la Calle 16, en Birmingham.

Los niños estaban dentro de la iglesia cuando, de repente, un coche apareció por la calle y desde él lanzaron una bomba contra el edificio. Se produjo un gran agujero en la pared, y los cristales de las ventanas se hicieron añicos. Cuatro niñas de edades comprendidas entre los 11 y 13 años —pertenecientes al coro de la iglesia— murieron. Muchos otros resultaron heridos. Salieron como pudieron a la calle, sollozando de terror al contemplar los escombros de la explosión mezclados con sangre.

Fue sólo un mes después, el 22 de noviembre de 1963, cuando la nación y el mundo entero quedaron aturdidos por el asesinato del presidente John F. Kennedy, que fue asesinado cuando él y su esposa eran conducidos a través de las calles de Dallas (Texas).

Martin Luther King estaba entre los millones de personas afligidos por su muerte al contemplar las escenas de su asesinato y su funeral por televisión.

Tuvo un presentimiento. La sociedad americana se estaba convirtiendo en una sociedad muy violenta. A todas horas se leían noticias sobre crímenes, asesinatos, armas... Luther King sabía que los asesinatos sólo desencadenaban otros asesinatos. Cada muerte violenta hacía más probable otras muertes.

Ahora lo sabía. «Sé lo que me va a pasar», decía.

## «Ayude a su policía local»

Autobuses y comedores comunes e igualdad en el trabajo eran las victorias conseguidas, pero aún quedaba mucho por hacer.

Kennedy murió y la campaña para encontrar un nuevo presidente se puso en marcha. El ex vicepresidente de Kennedy, Lyndon Johnson, competía contra Barry Goldwater, un hombre al que le gustaba que las cosas permanecieran como estaban. Era vital para los derechos civiles que los americanos negros pudieran votar para elegir un presidente que apoyara su causa. El movimiento de los derechos civiles de los estudiantes estaba empeñado en que los negros consiguieran esa oportunidad.

Avanzaron mucho en Misisipí para alcanzar su meta,

*«Pocos pueden explicar la misteriosa personalidad de King. Tiene una indescriptible capacidad de comunicación con las masas, cualidad imprescindible en los líderes. Con sus propios actos y con sus sermones ha despertado en su gente una paciencia cristiana que fomenta la esperanza y condena la injusticia».*

Time Magazine, 3 de enero de 1964, en el artículo King, el hombre del año

*Votando por primera vez en el condado de Greene, en Alabama.*

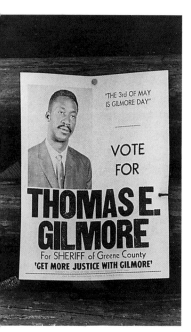

pero a costa de un precio terrible. Tres jóvenes trabajadores, dos blancos y uno negro, que intentaban asegurarse de que los negros estaban inscritos en las listas de votantes, fueron arrestados en junio de 1964. No se volvió a saber nada de ellos hasta agosto, cuando sus cuerpos fueron encontrados. Habían sido ahorcados.

Más adelante, dos hombres fueron llevados a juicio, acusados de haber participado en estos asesinatos y linchamientos: el *sheriff* del condado de Neshoba, Lawrence Rainey, y su ayudante, Cecil Price. Un fotógrafo de la revista *Life* sacó fotografías de ellos en el juzgado. Gordos, sonrientes, estaban entre sus animados compinches. Para ellos, el juicio era una tontería. Sabían que serían puestos en libertad. Rainey fue absuelto y a Price sólo le cayeron seis años. Pero la fotografía fue colocada en un cartel que hablaba de los derechos civiles y de la justicia. Sobre el cartel, aparecía el sarcástico mensaje «Ayude a su policía local».

## Pidiendo el voto

En octubre de 1964, el doctor King recibió el Premio Nobel de la Paz, uno de los más importantes galardones del mundo. Pero él no se detuvo por ello. Sentía que ahora era vital concentrarse en un lugar clave. Él y sus colaboradores escogieron Selma, en Alabama.

Estaban dispuestos a utilizar todos los recursos a su alcance para conseguir el derecho al voto para los negros de Selma, que les correspondía legítimamente.

El doctor King lanzó su campaña en enero de 1965. «Vamos a comenzar una gran marcha en favor del voto para los negros», dijo. «Debemos estar dispuestos a ir a la cárcel a millares. No estamos pidiendo, estamos exigiendo el voto».

Teóricamente, los negros tenían derecho al voto, pero tenían que estar registrados. Cuando lo intentaban, la oficina de solicitudes cerraba, o encontraban un error en los formularios. A principios de febrero, 280 personas fueron arrestadas cuando intentaban registrarse en las listas electorales. Solamente 57 habían logrado completar los formularios. Ninguno fue registrado.

Las autoridades les habían prohibido manifestarse, a pesar de que caminaban hacia el tribunal del condado en

grupos disciplinados, encabezados por Luther King, de tal modo que la policía no tenía excusa para detenerlos. No obstante, fueron arrestados.

El doctor King escribió desde la cárcel: «Hay más negros en la cárcel conmigo que los que hay en las listas electorales».

Las protestas seguían. En una manifestación pacífica, un hombre joven, llamado Jimmie Lee Jackson, murió de un disparo por las fuerzas armadas. Miembros de la prensa estaban allí presentes. Una ola de indignación sacudió el país. Pero la brutalidad seguía. Las tropas continuaban atacando a los manifestantes y a los cámaras de televisión con porras y gases lacrimógenos.

Se planeó una gran marcha desde Selma hasta Montgomery, pero la policía del estado se interpuso en su camino. Arremetieron con sus caballos contra la multitud, golpeando, azotando y aporreando a los manifestantes hasta que caían bajo los cascos de los caballos.

Unos días después, un pastor blanco de Boston fue atacado y asesinado en Selma por el KKK. Las peticiones públicas de apoyo hacia el Gobierno federal crecían. El presidente Johnson respondió condenando la violencia y empezó a preparar una nueva ley de derecho al voto.

*El 2 de julio de 1964, el presidente Johnson firmó la Ley de Derechos Civiles y compareció en televisión para declarar que «aquellos que son iguales ante Dios, serán iguales ahora en los colegios, fábricas, hoteles, restaurantes, teatros, cines y demás lugares públicos». Por fin, el letrero de «Sólo blancos» sería descolgado y los negros podrían desempeñar cargos como alcalde, sheriff u otros puestos públicos en las comunidades locales.*

*Arriba. Las tropas del estado, armadas con grandes porras, impedían el paso a los desarmados manifestantes. Resultaron seriamente heridas 17 personas.*
*Derecha. «Yo no sé lo que nos espera», dijo King a los manifestantes al día siguiente. «Puede que nos golpeen, que nos encarcelen y que nos echen bombas lacrimógenas. Pero prefiero morir sobre las autopistas de Alabama antes que traicionar a mi conciencia».*
*Unos 1.500 manifestantes se enfrentan otra vez con la policía. Bajo el liderazgo de King, rezaron y regresaron. Nadie resultó herido.*

## En marcha

El 21 de marzo, los manifestantes obtuvieron permiso para marchar desde Selma hasta Montgomery, encabezados por el doctor King. Él había vuelto a la ciudad en la que había visto el comienzo del movimiento de los derechos civiles 10 años antes.

«Hoy quiero decir a la gente de América y de las naciones del mundo que no vamos a dar la vuelta. Estamos en marcha y ninguna ola de racismo puede pararnos. Nos estamos moviendo hacia la tierra de la libertad».

La declaración de 1965 de Derecho al Voto, en Selma, les había dado fuerza. Así, el Gobierno federal obtuvo poder para actuar a favor de que el voto fuera libre de discriminación. Fueron abolidos todos los trucos técnicos que se habían empleado para evitar que los negros dieran su voto.

## El Norte se levanta

La vida para los negros fuera de los estados del Sur tampoco era fácil. En las ciudades del Norte existían áreas reservadas a los negros, los guetos. Eran lugares con chabolas semidestruidas, llenos de pobreza, desempleo y bajo nivel de enseñanza. Y esta situación, a menudo, acarreaba la violencia, las drogas, el alcoholismo, las luchas entre bandas y los crímenes.

La no violencia parecía un método demasiado blando para emplearlo en tales condiciones, pero el doctor King estaba seguro de que acabaría surtiendo efecto. Muchos otros líderes negros estaban en desacuerdo. El belicoso movimiento del Black Power, el Poder Negro*, iba ganando seguidores. Estaban cansados de la opresión y resueltos a acabar con ella empleando la fuerza. Discursos y carteles incitaban a los negros a luchar contra los blan-

55

*No todos los negros compartían las ideas de Martin Luther King. Impaciente por que progresara su causa, un amigo cercano a King, Stokeley Carmichael, inició una campaña antiblancos. Él fue la primera persona en usar el eslogan de Black Power.*

cos para apoderarse de lo que era legítimamente suyo. Se dieron disturbios, fuegos, saqueos y mutilaciones. Los disturbios comenzaron en Chicago y se extendieron a Boston, Los Ángeles, Filadelfia..., ciudad tras ciudad.

El doctor King condenó tal violencia, aunque sabía por qué existía. Él explicaba a la gente que estaba en el poder que eso sucedía porque vivían en guetos, en horribles condiciones de pobreza y frustración. Se sentían marginados y por ello los guetos nunca serían pacíficos.

## La tierra prometida

Los disturbios no eran el único problema en Estados Unidos. En abril de 1968, el doctor King viajó a Memphis para dar su apoyo a los trabajadores que luchaban por la igualdad de salarios.

Los oficiales del aeropuerto estaban preocupados. Había tanta violencia que temían que hubiera una bomba en el avión y se retrasó el vuelo mientras lo registraban. No encontraron nada, pero el doctor King llegó tarde a su mitin.

Al comenzar, contó a su audiencia por qué se había retrasado, y que había tenido muchas otras amenazas de muerte.

«Como todos», dijo, «me gustaría tener una larga vida. Pero eso no me preocupa ahora. Sólo quiero que se cumpla la voluntad de Dios. Y él me ha permitido subir a la montaña. He contemplado todo desde allí y he visto la tierra prometida. No puedo llegar allí con vosotros. Pero quiero haceros saber esta noche que nosotros, como personas, llegaremos a la tierra prometida. Y yo estoy feliz esta noche. No me preocupa nada. No temo a nadie. Mis ojos han contemplado la gloria de la venida del Señor».

Su discurso fue profético. Era como si estuviera preparado para morir, dejando el miedo a un lado.

Martin Luther King pasó la mayor parte del día siguiente en su habitación del hotel, trabajando en los detalles de su acción de protesta. Una vez más recalcaba a sus amigos que debían evitar la violencia a toda costa. La no violencia debería ser, como siempre, la consigna, cualquiera que fuese la provocación.

Esa tarde salió al balcón de su habitación para estirar las piernas. De repente, hubo una fuerte explosión. El doctor King se tambaleó y cayó al suelo. Le habían disparado desde el tejado de un edificio cercano.

Sus amigos se apresuraron hacia él, pero la bala le había impactado en el cuello. Estaba gravemente herido. Rápidamente fue conducido al hospital, y, una hora más tarde, murió.

*Las bayonetas apuntan a los manifestantes mientras marchan por Memphis (Tennessee), pidiendo la igualdad de los salarios para trabajadores blancos y negros de la sanidad.*

## ¿La muerte de la no violencia?

La muerte de Martin Luther King fue un duro golpe para la nación. Los que trabajaban por la paz en todo el mundo lloraron su muerte. Para muchos negros americanos, él había sido la única esperanza en su mundo de pobreza y humillación. Y ahora se había marchado.

Stokeley Carmichael, el joven militante negro, declaró: «Cuando la América blanca mató al doctor King la pasada noche, nos declaró la guerra. Él fue el único hombre de nuestra raza que intentó inculcar a nuestra gente el amor, la compasión y la misericordia para con los blancos».

Ese último día de su vida, Martin Luther King había hablado de su idea de paz, la idea de paz de Gandhi, la no violencia. Pero la violencia de su muerte provocó una gran ola de disturbios por parte de los negros de todo el país.

Durante los disturbios murieron 39 personas como con-

REV. MARTIN LUTHER KING JR
1929 —— 1968
"FREE AT LAST. FREE AT LAST.
THANK GOD ALMIGHTY I'M FREE AT LAST."

*La gente oprimida de todo el mundo quedó profundamente conmocionada y afligida por el asesinato de Martin Luther King. Unos 120 millones de personas vieron su funeral. Sobre su tumba, esculpidas en el mármol, se leen las palabras del viejo canto espiritual negro* Libre al fin.

**Derecha:** *Coretta King, en el funeral de su marido.*

---

*«El día en que el pueblo negro y otros que están en la esclavitud sean verdaderamente libres, el día en que la miseria desaparezca, el día en que no haya más guerras, ese día yo sé que mi marido descansará en paz».*

Coretta Scott-King, en *Mi vida con Martin Luther King*

---

secuencia de disparos, justo por lo que Martin Luther King había vivido y había muerto por evitar.

El presidente Johnson dijo: «Nadie podría dudar de lo que Martin Luther King hubiera querido evitar. Que su muerte sea la causa de más violencia, en contra de todo su trabajo».

## Libre al fin

La América negra lloró su muerte junto con su esposa y sus hijos.

El funeral se ofició en la iglesia baptista de Atlanta, donde él había predicado sus primeros sermones. No había tenido una larga vida; contaba sólo 39 años. Pero su vida había cambiado la de miles de personas.

Unas 100.000 personas se concentraron para rendirle un último homenaje. Una enorme cantidad de gente marchaba tras el carro, conducido por dos mulas, que llevaba sus restos a la tumba.

Igual que el carro tirado por mulas recordaba a la gente sus orígenes pasados en la esclavitud, también se lo recordaba la inscripción que pusieron sobre la tumba. Era la letra del viejo canto espiritual negro, la canción que salía del corazón de los esclavos y que Martin había citado en su famoso discurso de Washington:

*«¡Libre al fin! ¡Al fin libre! Gracias a Dios Todopoderoso, al fin soy libre».*

# Resumen de la situación de los negros en Estados Unidos

La esclavitud es casi tan antigua como la misma civilización. Las grandes civilizaciones antiguas contaban con un gran número de esclavos, y también fueron muy comunes en toda la Europa feudal hasta el año 1200.

En Centroamérica y Suramérica, conquistadas por los españoles, se esclavizaron a millones de americanos nativos para que trabajaran sus tierras y sirvieran en sus casas, siguiendo el ejemplo de los incas y de los aztecas.

Sin embargo, fue con el «descubrimiento» de América por Cristóbal Colón, en 1492, cuando la esclavitud se convirtió realmente en un gran negocio. Los negros fueron traídos de la costa oeste de África. Eran buenos trabajadores y muy sumisos, lo que permitió a los colonos enriquecerse ampliando sus ya vastas plantaciones. El primer cargamento de esclavos africanos del que se tiene noticia llegó a América en 1518. Entre ese año y 1865, año en que la esclavitud fue oficialmente abolida, se estima que unos 50 millones de hombres, mujeres y niños fueron obligados a cruzar el Atlántico.

Muy pocas de estas personas fueron secuestradas por los marinos europeos; la gran mayoría fue esclavizada por sus propios gobernantes o por conquistadores de tribus vecinas. Este comercio era muy provechoso para aquellos reyes que vivían en las costas, pues a cambio recibían su pago en especies: telas, cuchillos, espadas, escopetas y municiones, barras de hierro, cujas de cobre, sombreros, abalorios y licores.

Los esclavistas discutían la mejor manera de transportar su cargamento humano; la mayoría prefería llevarlos bien apretados, es decir, que cada adulto ocupara un espacio de 6 pies de largo por 60 pulgadas de ancho; una mujer adulta, 5 pies y 10 pulgadas por 60 pulgadas; un chico, 5 pies por 40 pulgadas, y una chica, 4 pies y 6 pulgadas por un pie.

Los capitanes más condescendientes les permitían salir a cubierta mientras se limpiaban las bodegas, pero a la mayoría los obligaba a permanecer en esos diminutos espacios durante todo el viaje, que podía durar hasta tres meses. Lás pérdidas en esos viajes eran enormes: a veces se daban entre 100 y 130 muertes en un cargamento de 150. ¡En un solo viaje quedó registrado que desembarcaron 85 de un cargamento de 390!

Después de 1713, el Reino Unido se convirtió en la primera nación en el comercio de esclavos, transportando unas 70.000 personas al año hacia las Indias occidentales y el norte de América. Por ello parece razonable decir que la revolución industrial de el Reino Unido se construyó sobre la base de la esclavitud, que fue enorme.

El Reino Unido abolió la esclavitud en las islas británicas en 1772, cuando el jefe de justicia de Mansfield tomó la histórica decisión de que «en el momento en que un solo esclavo ponga los pies en suelo inglés, será proclamado libre».

Los padres de la patria de EE UU incluyeron, en 1774, a los esclavos en la lista de bienes que no podían ser importados, y el tráfico se detuvo hasta 1783. Hubieran querido abolir la esclavitud completamente, pero dos estados, Carolina del Sur y Georgia, lucharon contra esta amenaza para su economía. Todos los estados del Norte abolieron la esclavitud rápidamente. El último fue Nueva Jersey, en 1804. Sin embargo, el Sur insistía en que el principio de la esclavitud debía ser permitido en los nuevos estados que fueron anexionados a la Unión después de 1845.

Aproximadamente desde 1830 en adelante, se dio una firme, aunque no muy efectiva, demanda del Norte pidiendo la abolición total de la esclavitud. Así, en 1861, 11 estados del Sur formaron su propia confederación y se separaron de EE UU en el tema de la abolición. La guerra civil americana entre el Norte y el Sur vino a continuación. Después de cuatro años de guerra y de cerca de medio millón de muertes, ganó el Norte. La Proclamación de la Emancipacipación llegó y, finalmente, los esclavos quedaron en libertad.

Pero esto era sólo en teoría. Durante unos 100 años más, desde el final de la guerra, los estados del Sur llevaron a cabo una resistencia nacional para no dar a los negros un trato de iguales. Los blancos del Sur culpaban a los negros de la guerra, de la derrota y de la consiguiente pobreza. Sus dirigentes intentaron mantener su antiguo nivel de vida, su «patrimonio», y los negros, al no poseer tierras y no recibir educación, tuvieron que buscar un progreso casi imposible.

El triste asesinato del presidente Lincoln, en abril de 1865, supuso que el primer intento de reconstruir el Sur se perdió. Los antiguos dirigentes del Sur no fueron excluidos de los altos puestos, lo que favoreció la promulgación de las Leyes Negras, que negaban a los negros hasta los más elementales derechos civiles y libertades. En respuesta a esta opresión, vino la enmienda 14 de la Constitución americana, estableciendo los derechos de los negros a ser ciudadanos de EE UU y a tener igual protección ante la ley. Se hizo efectiva en 1866. A esto siguió, en marzo de 1870, otra enmienda que daba derecho al voto a todos los ciudadanos americanos, independientemente de su raza, color o condición de servidumbre.

A pesar de ello, el Norte permitió que el Sur siguiera dando un trato diferente a los negros. El resultado fue que, hacia 1895, prácticamente a todos los negros se les denegó el derecho al voto. La situación alcanzó un grado realmente preocupante hacia 1900, después de que el Ku Klux Klan fuera reestablecido; entre 1889 y 1919 fueron linchados unos 3.000 hombres y mujeres negros.

En la década de 1950, cuando Martin Luther King se constituyó en el líder dirigente del movimiento de los derechos civiles de los negros, la mayoría de los negros eran todavía pobres y sin educación. Se les ponía trabas para todo. Por ejemplo, incluso a pesar de que los negros tenían legalizado el derecho al voto, había muchos obstáculos —desde los trámites burocráticos hasta linchamientos— que tenían lugar en los estados del Sur, y sólo el 5% había sido registrado.

Bajo el líder dirigente King se hicieron grandes progresos. Pero hoy, más de 20 años después de su muerte, existe todavía mucha segregación, particularmente en las áreas rurales del Sur.

La ley dice que ahora son todos iguales, pero los prejuicios de los blancos ignoran la ley. Los restaurantes solían admitir sólo a los blancos. Cuando la ley declaró que esos restaurantes eran ilegales, simplemente los cerraron. En muchas ciudades pequeñas del Sur no existen ahora bares, peluquerías o restaurantes. Y las escuelas gubernamentales no segregacionistas tienen sólo alumnos negros. Todos los demás chicos blancos han sido sacados de allí y llevados a colegios privados.

Se dio un progreso real en algunos campos. Antes de la Ley del Derecho al Voto (1965), menos de 200 negros votaron oficialmente en todo EE UU; hacia 1970 fueron ya 1.469; hacia 1980 votaron 4.912, y hacia 1986 el número ascendió a unos 6.500. Esto supone sólo el 1,3% de los 490.000 votantes censados. Hay 289 alcaldes negros, 28 de los cuales en ciudades de más de 50.000 habitantes.

La pobreza entre las familias negras descendió, de un 55% en 1959, a un 31%, en 1987. Pero, a pesar de eso, en 1986, el 37% de todos aquellos que recibieron cupones de ayuda social (que podían ser canjeados por comida en las tiendas) eran negros, y un 45% de los jóvenes sin empleo, también. En 1985, la media de los ingresos de las familias negras era de sólo el 55% de la de las familias blancas. En 1987, el Estado de la América Negra dijo del desempleo de los negros en los estados del Norte: «En ciudades como Detroit, Búfalo, Chicago y Cleveland, el abismo que hay en el mercado de trabajo entre los negros —especialmente los negros varones— y los blancos probablemente excede los más altos niveles que se hayan dado nunca en la más racista de las ciudades del Sur».

Por otro lado, tenemos hoy grandes figuras que han obtenido enormes éxitos, como Bill Cosby, que en 1987 fue el humorista mejor pagado en el mundo; las estrellas del *rock* Michael Jackson y Tina Turner, que han hecho giras por todo el mundo, e importantes empresarios y hombres de negocios.

Finalmente, miles de negros americanos forman parte hoy de la clase media americana, ejerciendo profesiones como la de médico, abogado, banquero, etc.

Se estima que hacia el año 2000 la tercera parte de EE UU será *no blanca* —incluyendo a asiáticos, hispanos y negros— con un poco de perseverancia, de educación y un poco de ayuda. Así, el sueño de Martin Luther King podrá hacerse realidad antes de que pasen otros 20 años más.

# Vocabulario

**Abolicionista:** Nombre dado a las personas que lucharon entre 1830 y la guerra civil americana para abolir la esclavitud. Algunos de ellos habían sido esclavos; otros eran blancos que creían que el sistema de la esclavitud era un tremendo error.

**Agrupación de los Líderes Cristianos del Sur (SCLC):** Fundada en 1957 bajo el liderazgo de King para «dar al pueblo negro la libertad extendiendo el movimiento de Montgomery por todo el Sur».

**Comité de Coordinación Estudiantil No violento (SNCC):** Fundado en 1960 para ayudarse entre los estudiantes en la lucha contra la segregación.

**Discriminación racial:** Dar trato inferior a un grupo por su raza o cultura. Normalmente está basada en prejuicios absurdos.

**Estados Confederados:** Alabama, Arkansas, Carolina del Norte y del Sur, Florida, Georgia, Luisiana, Misisipí, Tennessee, Texas y Virginia, los 11 estados que se separaron en 1861 por la abolición de la esclavitud. Fueron derrotados en 1965 y se volvieron a unir a EE UU.

**Gandhi, Mahatma** (1969-1948): Líder hindú de la India, pionero en las técnicas de protesta no violenta en Suráfrica y la India. Tuvo millones de seguidores como líder de la lucha por la independencia de la India.

**Guerra civil americana:** Librada entre los estados de la Unión (el Norte) y los Confederados (el Sur) por la abolición de la esclavitud. Comenzó en 1861 y finalizó en 1865, con la derrota del Sur.

**'Jim Crow':** Nombre que se dio a las leyes relativas a la segregación negra. *Jim Crow* es el nombre de una conocida canción de la década de 1850 que se convirtió en el nombre genérico para designar a los negros.

**Jinetes de la Libertad:** Grupo de americanos blancos y negros que realizaron una protesta conduciendo los autobuses de las ciudades de los estados del Sur contra el racismo y las leyes segregacionistas.

**Ku Klux Klan:** Organización secreta fundada en la década de 1860 en los estados Confederados del Sur para luchar contra la emancipación de los negros. Fue responsable de miles de muertos por linchamiento y de otros actos violentos contra los negros, los judíos y otros grupos minoritarios. Esta organización todavía está en activo, aunque tiene menos poder que en 1960, año en el que muchos miembros de la administración de justicia pertenecían a ella.

**Movimiento de los derechos civiles:** Campaña de las décadas de 1950 y 1960, no violenta, que pedía la igualdad entre los americanos blancos y negros. Fue apoyado por las enmiendas 14 y 15 a la Constitución americana.

**No violencia:** Método de protesta pacífica. El pionero fue Gandhi en Suráfrica. Sus partidarios pretenden que se deroguen las leyes que consideran injustas, pero sin resistirse a ser encarcelados y sin vengarse, aunque hayan sido atacados por las autoridades.

**Poder Negro:** Eslogan acuñado en 1964 que utilizaban los negros activistas en su lucha por los derechos civiles. Empleaban todo tipo de recursos, incluida la violencia.

**Racismo:** Creencia de que algunas razas son biológicamente superiores. Esto hace que algunos pueblos se consideren de *raza superior* y menosprecien a las otras razas, privándolas de sus derechos.

# Fechas importantes

1929    El 15 de enero nace Martin Luther King en Atlanta, Georgia.

1948    Martin es ordenado ministro de la Iglesia baptista.
Entra en el Crozer Theological Seminary, en Pensilvania
Empieza a estudiar las enseñanzas de Mahatma Gandhi.

1953    Martin se casa con Coretta Scott en Marion, Alabama.

1954    Acepta el puesto de pastor en la iglesia baptista de la avenida de Dexter, Alabama.

1955    Martin obtiene el doctorado en Teología por la Universidad de Boston.
El 1 de diciembre se produce el incidente de Rosa Parks en el autobús. Comienza un
largo año de boicot en Montgomery.

1956    El 21 de febrero, el doctor King es encarcelado junto con otros participantes en el
boicot.
El 4 de junio, el tribunal del distrito declara anticonstitucional la segregación racial en
los autobuses.
El 13 de noviembre, el Tribunal Supremo confirma la decisión del tribunal del distrito.
El 21 de diciembre acaba la discriminación en los autobuses de Montgomery.

1957    Se aprueba la primera ley, después de la guerra civil, sobre los derechos civiles.

1960    Primera sentada de protesta en las cafeterías llevada a cabo por estudiantes negros.
Se funda el Comité de Coordinación Estudiantil No violento.

1961    El primer grupo de los Jinetes de la Libertad intenta introducir la integración racial. Al
llegar a Alabama, muchos fueron golpeados y encarcelados. El autobús fue quemado.

1963    En Birmingham, Alabama, *Bull* Connor ordena a la policía que utilice los perros y las
mangueras contra los manifestantes.
El 28 de agosto comienza la gran marcha sobre Washington DC. El doctor King
pronuncia su discurso *Hoy he tenido un sueño*.

1965    El 7 marzo, un grupo de manifestantes es golpeado por las tropas del estado en su
marcha hacia Montgomery.
El 21 de marzo, los manifestantes marchan sobre Montgomery, protegidos por las
tropas federales.

1966    Son asesinadas 23 personas y otras 725 resultan heridas durante los disturbios de
Neward, Nueva Jersey.

1968    El 3 de abril, el doctor King pronuncia el discurso *He subido a la montaña*.
El doctor King es asesinado el 4 de abril en el balcón de su hotel en Memphis,
Tennessee.

# Índice alfabético